東方一帯
はるかかなた
アラゲイジアへ
アーンゴール山
エッダ川

ドラゴン
ライダー
外伝

クリストファー・パオリーニ　大嶌双恵＝訳

TALES FROM ALAGAËSIA VOLUME I：ERAGON

Christopher Paolini translation by Futae Ohshima

アラゲイジアの物語

I　エ　ラ　ゴ　ン

静山社

いつものように、
家族と、応援してくれた読者の皆さんに
この本を捧げます

The Fork, the Witch, and the Worm
TALES FROM ALAGAËSIA VOLUME 1: ERAGON
by
Christopher Paolini
with Angela Paolini, writing as Angela the herbalist
in “On the Nature of Stars”

編集協力
リテラルスパイス

ブックデザイン
鈴木成一デザイン室

TALES FROM ALAGAËSIA VOLUME I：ERAGON

目次

PART 1 フォーク

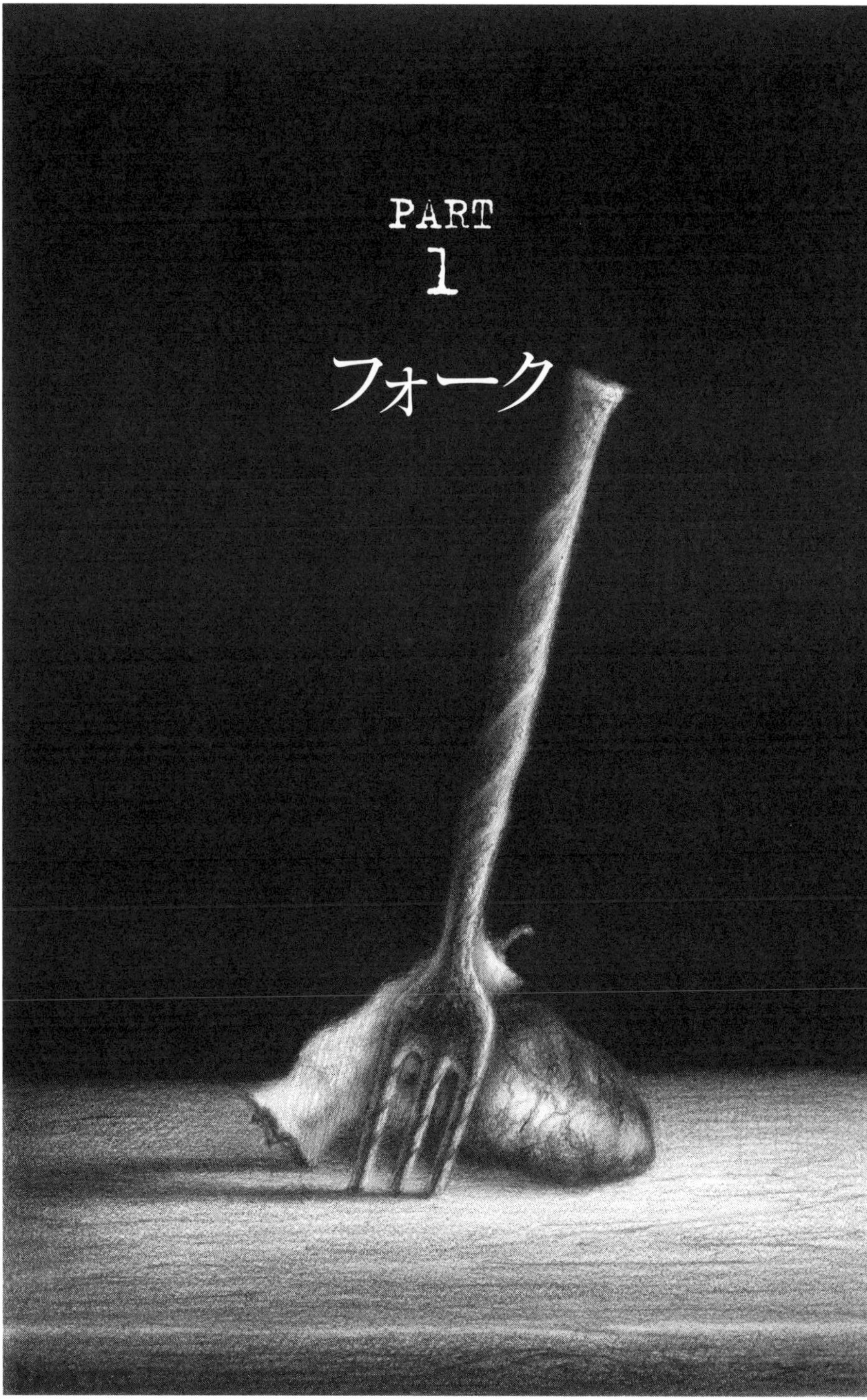

第一章 アーンゴール山

今日は実りの少ない一日だった。

エラゴンは椅子《いす》の背にもたれてジョッキをかたむけ、ブラックベリーのハチミツ酒をぐいっとのどに流しこんだ。口のなかに心地よい甘《あま》さが広がり、故郷のパランカー谷でベリーをつみながら過ごした夏の午後の思い出がよみがえってくる。

なつかしさで胸がズキンと痛んだ。

ドワーフの代表フルスマンドとの会合で収穫《しゅうかく》だったのは、このハチミツ酒くらいなものだ。フルスマンドにいわせれば、ドワーフ族とライダー族の友好の絆《きずな》を強めるための贈《おく》り物、ということらしい。

エラゴンはフンと鼻を鳴らした。なにが友好なものか。フルスマンドとの会合は、ドワーフが約束の補給品をいつとどけてくれるかという話し合いだけで終わってしまった。フルスマンドは三、四か月に一度の供給でじゅうぶんだと考えているようだが、ドワーフはどの種族よりずっと〈アカデミー〉に近い場所に住んでいるのだから、ふざけた話だ。ナスアダでさえ、ハダラク砂漠《さばく》の向こう側、はるか西のかなたから、ひと月に一度は船荷を運んでくれようとしているのに。

オリクと話す機会をつくって直談判《じかだんぱん》するしかないな。終わりの見えない無数の任務がひとつ増えたということだ。

エラゴンは目の前の机に積みあげられた巻物や書物、地図、ちらばった羊皮紙に目をやった。どれもこれも気を配らないといけないことばかりだ。その状況《じょうきょう》に気が重くなり、ため息がもれる。

エラゴンは要塞《ようさい》に粗《あら》ごしらえされた大きな窓から外をながめた。アーンゴール山麓《さんろく》に広がる吹《ふ》きさらしの平原に、夕暮れの光がのびている。北西を見ると、エッダ川が銀箔《ぎんぱく》のリボンのようにきらめきながら蛇行《だこう》している。いちばん近くの湾曲部《わんきょくぶ》に船が二艘《そう》つながれ、その船着き場から小道がアーンゴール山麓《さんろく》に向かって南へのびている。

ドラゴンライダーの新しい住みかとしてこの山を選んだのは——サフィラや旅の仲間たちに相談したとはいえ——エラゴン自身だ。単なる住みかというだけではない。ドラゴンの〈心の核《エルドゥナリ》〉の保護地、そして願わくば、次世代のドラゴンの営巣地となる場所だ。

厚い岩盤《がんばん》でおおわれた高い山は、アラゲイジアにつらなるビオア山脈のはずれにぽつんとある。巨大《きょだい》なビオアの山にはとてもかなわないが、それでも、エラゴンが育ったスパインの山々よりは何倍も高い。アーンゴール山だけが、東方一帯に広がる緑のなかに高くそびえたっている。はるかかなたアラゲイジアの境界から、ゆっくりとした航海で二週間はかかる場所だ。

アーンゴール山の南側は地面に毛布のようなしわが寄り、木々が風になびいて魚の鱗《うろこ》のように銀色に輝《かがや》いている。さらに東側には急こう配の山や崖《がけ》、草木におおわれた巨大《きょだい》な柱状の岩がそびえている。そのなかには流浪《るろう》の部族が住んでいる。少々気性の荒《あら》い、風変わりな部族で、エラゴンがいままで遭《あ》ったことのないタイプの人間たちだ。いまのところ、問題を起こしてはいないが、警戒心《けいかいしん》は解けない。

こうしたもろもろが、いまのエラゴンの肩《かた》にかかっているのだ。

アーンゴール山にはたくさんの名前がある。アーンゴールはドワーフ語で〈白い

山〉の意味。たしかに、山頂の三分の一は雪と氷でおおわれ、遠くからながめると、緑の平原の真ん中で、その頂《いただき》はまばゆいばかりに白く輝《かがや》いている。だが、まだほかにも古来からの秘められたドワーフ語の名があることがわかった。かつてエラゴンひきいる遠征隊《えんせいたい》がふもとの丘《おか》に定住しようとして、その下の岩盤《がんばん》に掘《ほ》られたトンネルを発見したとき、そこにルーン文字で〈ゴール・ナーヴェルン〉――〈宝石の山〉と刻まれていた。ドワーフの古来の部族が山の地中奥深《おくふか》くに坑道《こうどう》を掘《ほ》っていたのだ。

遠征《えんせい》に同行したドワーフたちはその発見をよろこび、いったいどの部族が坑道《こうどう》をつくったのか、どんな宝が埋《う》まっているのか、あれこれ議論したものだ。

古代語では〈フェル・シンダリ〉、つまり〈夜の山〉という名で呼ばれる。この名がどこでどんな理由で生まれたのか、エルフたちも知らないので、エラゴンもめったに使うことはない。エルフたちが〈ヴィエタ〉――〈希望〉と呼ぶのも聞いたことがあるが、ドラゴンライダーはアラゲイジアのすべての種族にとっての希望だから、この呼び名はぴったりだと思う。

アーガルたちにも〈ウングヴェク〉という山の呼び名がある。彼《かれ》らにきけば、〝石頭〟の意味だというが、これはあまりピンとこない。

さらに、人間のあいだでの呼び方がある。人間たちはいろいろな名で呼んでいるよ

うだが、そのなかに〈白い大釘《おおくぎ》〉という呼び名がある。旅商人たちが面白半分にそう呼びだしたせいだろう。

エラゴンは個人的にアーンゴールという響《ひび》きが気に入っているが、どの名前にも相応の敬意をはらうようにしている。こうした呼び名の複雑さこそが、〈アカデミー〉の状況《じょうきょう》をそのまま物語っている——〈アカデミー〉は、種族、文化、そして相反する政策が入りまじった場所だ。そして、なにもかもいまだ不安定なままだ……。

エラゴンは〈ムーンヴロース〉をもうひと口飲んだ。このドワーフ製のハチミツ酒を、フルスマンドは〈ムーンヴロース〉と呼んでいる。エラゴンはその名をくりかえし、言葉の舌触《したざわ》りで意味を感じとろうとした。

フルスマンドとの会合だけにとどまらず、その日はほかにも問題があった。アーガルはあいかわらずケンカっぱやいし、人間は気むずかしく、〈エルドゥナリ〉のなかのドラゴンは謎《なぞ》めいている。そしてエルフは……度を越《こ》すほどに優雅《ゆうが》で有能だけど、ひとたび決意しようものなら、絶対に考えを変えようとしない。変えることができないというべきか。エルフと関わりをもつのは、予想よりずっとストレスのたまることだとわかった。彼《かれ》らとのつきあいが長くなるにつれ、エラゴンはオリクの意見にうなずけるようになってきた。エルフ族は遠くからながめているのがいちばんだ。

対人関係以外にも心配の種はある。要塞《ようさい》の建設もそうだし、来たるべき冬にそなえていろいろな食糧《しょくりょう》を確保しなければならない。大きな町を管理するためのこまかい事がらが無数にある。

基本的に、この大きな町こそが、遠征《えんせい》によってできあがったものだ。いずれ永住の地となるエラゴンたちの開拓地《かいたくち》だ。

エラゴンは残りのハチミツ酒を飲みほした。酒が効いてくると、足元の床《ゆか》がかすかに傾《かたむ》いたように感じられた。午前中いっぱい、要塞《ようさい》の建築を手伝うことに時間をついやしたせいで、自分もサフィラも思った以上に体力を消耗《しょうもう》してしまった。いくら食べても、使ったエネルギーを補充《ほじゅう》できないかのようだ。この二週間でベルトの穴ふたつぶん細くなった。しかも、これまでの数週間でいちばん縮めた穴からさらに、だ。

エラゴンは机の上の羊皮紙に目をやり、顔をしかめた。

ドラゴンを復活させることも、ライダー族を率いることも、〈エルドゥナリ〉を守ることも、すべてエラゴンが心から望んで受けいれた責務であり、真摯《しんし》に取りくんでいる。それでも……人生において、これほどの時間をこんなふうについやすことになるとは、予想だにしていなかった。こんなふうに――過労で視界がぼやけるまで、正確な事実や数字を得ようと机にかじりついている。帝国《ていこく》と戦って、ガルバトリックス

に立ち向かうのもまた、途方《とほう》もなくストレスのかかる仕事だったし、もう二度と、絶対に、同じことを経験などしたくないが——あれはあれで刺激《しげき》的でもあった。

わが剣《けん》〈ブリジンガー〉を腰《こし》に帯び、サフィラにまたがって、待ちうける冒険《ぼうけん》めざして飛び立つ夢をときどき見る。でもそれは、あくまでも夢だ。まだまだ当分のあいだは、ドラゴンやドラゴンライダーのことを置き去りにはできない。

「バーズル(忌《い》まわしい)」エラゴンはドワーフ語でぼやいた。眉間《みけん》のしわを深くして、羊皮紙の紙切れにどんな呪《のろ》いの魔術《まじゅつ》をかけられるか考えてみる——炎《ほのお》、氷、雷《かみなり》、風、粉砕《ふんさい》、それから……。

やがてため息をつき、体を起こして羽ペンに手をもどした。

〔もうやめなさい〕サフィラの声だ。部屋の反対側、床《ゆか》のくぼみに埋《う》めこまれたクッションの上でサフィラは目を覚ました。ドラゴンの大きさに充分《じゅうぶん》な寝床《ねどこ》だ。毎晩、エラゴンもその寝床《ねどこ》のなか、片方の翼《つばさ》の下でまるくなって眠《ねむ》る。

サフィラが起きあがると、宝石のような鱗《うろこ》が青い光のしぶきを放ち、壁《かべ》の上をまぶしく跳《は》ねまわった。

「無理だよ」エラゴンはいった。「やめたくても、やめられない。この目録は朝までにチェックしなきゃならないものだし、それに——」

〔いつもいつも仕事〕サフィラが机のほうへ歩いてきた。きらめく鉤爪《かぎづめ》の先端《せんたん》が、床《ゆか》の石をコツコツとたたく。〔つねに、なにかしらわたしたちを必要とする者がいる。けれど小さき友よ、自分の体のことも考えなさい。今日はもう充分《じゅうぶん》働いた。ペンを置いて、心配ごとは忘れること。空はまだ明るい。ブロードガルムと剣《けん》をぶつけ合うなり、スカーガズと角突《つのつ》き合わせるなり、なんでもいいから、そこにすわってくすぶってる以外のことをしてきなさい〕

「無理なんだって」エラゴンは羊皮紙いっぱいに並んだルーン文字から目を離《はな》さずにいった。「やらなきゃならないんだよ。かわりにやれる者がいないんだ。もしぼくがやらなければ――」

羊皮紙の束にサフィラの左足の鉤爪《かぎづめ》が突《つ》き刺《さ》さり、エラゴンは飛びあがった。羊皮紙は机に釘《くぎ》づけされ、インクが瓶《びん》ごと床《ゆか》に散らばった。

〔もうおやめ〕サフィラは腹立たしげに、エラゴンに熱い息を吹《ふ》きかけた。そして首を長くのばし、ぎらりと光る底知れぬ目で彼《かれ》をじっと見つめた。〔今日はそこまで。いまのあなたは正気ではない。さあ、出かけてきて〕

「そんな――」

〔行きなさい！〕サフィラの口がゆがみ、胸の奥《おく》から低いうなりが響《ひび》いてくる。

エラゴンは納得がいかないまま言葉を飲みこみ、ふいに鉤爪《かぎづめ》の横に羽ペンを放った。「もういい」机から椅子《いす》を突《つ》き放して立ちあがり、両手をあげた。「わかったよ。おまえの勝ちだ。出かけてくる」

〔よろしい〕サフィラはどこか楽しげな目をして、鼻先でエラゴンをアーチ型の通路のほうへ押《お》しやった。〔行ってらっしゃい。機嫌《きげん》がなおるまでは帰ってこないで〕

「ふん！」

それでも、エラゴンは笑みを浮《う》かべながらアーチ道を通りぬけ、屋外のゆったりとカーブした階段状の斜面《しゃめん》をおりていった。抵抗《ていこう》はしたものの、机を離《はな》れたことに悪い気はしていない。すこし癪《しゃく》にさわるのは、サフィラもそれをじゅうぶん承知してるということだが、そんなつまらないことでへそを曲げてもしょうがない。

日常生活のさまつなことにどう対処するか考えるより、戦場で戦うことのほうが簡単な場合もある。

その教訓をエラゴンはいま実施《じっし》で学んでいる最中だ。

階段の段差は低いが、サフィラが容易に行き来できるくらい横幅《よこはば》が広くできている。要塞《ようさい》のなかは、プライベートな居住区をのぞくすべての場所が、特大サイズのドラゴン仕様に建設されている。ライダー族のかつての住みか、ヴローエンガード島と同じ構造だ。要塞《ようさい》として必要な造りであるとはいえ、部屋ひとつ造ることとさえとてつもない作業になる。おかげでほとんどの部屋が、ドワーフ族の大都市トロンジヒームのそれらより、巨大《きょだい》で殺伐《さつばつ》としている。

飾《かざ》りつけをする時間とエネルギーがあれば、要塞《ようさい》はもっと心地よい雰囲気《ふんいき》になる、とエラゴンは思っている。壁《かべ》に紋章《もんしょう》旗《き》やタペストリーをかけ、暖炉《だんろ》の前にラグマットを敷《し》けば、音が反響《はんきょう》するのをおさえられ、色も添《そ》えられ、建物全体の印象もかなりよくなるはずだ。いまのところ、ここに添《そ》えられているのは、ドワーフ製の炎《ほのお》のないランタンだけだ。たくさんのランタンが壁《かべ》にそって等間隔《とうかんかく》で取りつけられている。

いまはまだ、要塞《ようさい》には足りないものだらけだ。あるのはすこしばかりの貯蔵庫と、申しわけ程度の壁《かべ》。エラゴンとサフィラが寝床《ねどこ》とする部屋は、要塞《ようさい》として計画中の用地を見わたせる高い岩のてっぺんにある。どこもかしこもまだ掘削《くっさく》や建築工事が必要で、エラゴンが〈アカデミー〉として思い描《えが》く複合的な要塞《ようさい》にはほど遠い状態だ。

エラゴンは広い中庭へと歩いていった。ごつごつした石の広場にすぎない中庭には、工具や縄がちらばり、あちこちにテントが張られている。たき火のまわりでは、いつものようにアーガルたちが格闘《かくとう》試合をおこなっている。エラゴンはしばらくその様子をながめていたが、くわわる気分にはなれなかった。

ふもとの丘《おか》を見おろせる胸壁《きょうへき》の前で見張りをしていたふたりのエルフ——エイストリスとリルヴェン——が、近づいていくエラゴンにうなずいて会釈《えしゃく》をした。エラゴンもうなずき返し、すこし離《はな》れた場所で立ちどまって、うしろ手を組み、夕暮れどきの空気のにおいを嗅《か》いだ。

それから、建築中の本殿《ほんでん》を視察しに向かった。本殿《ほんでん》の建設は、エラゴンの大まかな計画をもとに、ドワーフたちが設計し、さらにエルフたちが細部を改良している。その過程で、両種族の意見はおおいに食いちがった。

本殿《ほんでん》をあとにすると、こんどは貯蔵庫へ立ち寄り、前日とどいたばかりの補給品の木箱や樽《たる》の一覧表をつくりはじめた。サフィラにいくら叱《しか》られようとも、自分の仕事を投げ出すことはできないのだ。

だがやることがあまりにも多すぎて、時間もエネルギーも足りず、目標のほんの一部分も達成できていない。

サフィラの非難めいた気持ちが、頭の奥《おく》で感じられた。外へ出たのに、ドワーフと酒盛りするわけでも、エルフと剣《けん》を交えるわけでもない。仕事のこと以外なにひとつしていない。でもエラゴンは、そういうことにはまったく心惹《ひ》かれなかった。だれかと勝負する気分ではない。読書する気分でもない。いま直面する問題の解決につなが

る行動以外のことに、エネルギーをつぎこむ気分にはなれない。

エラゴンがすべての責任を負っているからだ。エラゴンとサフィラが。彼《かれ》らの選択《せんたく》の一つひとつがライダー族の将来を左右するだけでなく、ドラゴンの生存そのものに影響《えいきょう》する。もしまちがった選択《せんたく》をすれば、どちらも終わりを遂《と》げてしまうのだ。

そんなふうに考えると、とてものんきな気分ではいられない。

焦燥感《しょうそうかん》に駆《か》られたエラゴンは、高い岩の上の部屋へもどろうと階段をのぼりはじめた。だが、てっぺんにのぼり着く前に向きを変え、わきの小さなトンネルを抜《ぬ》け、その真下に――呪文《じゅもん》とつるはしで――掘《ほ》られた部屋へと入っていった。

それは円盤《ディスク》状の広々《ひろびろ》とした部屋だった。中央の、何層にもかさなった高座の上で、さまざまな大きさの〈エルドゥナリ〉が光っている。エラゴンとサフィラが〈魂《たましい》の部屋〉から運んできたものがほとんどだが、ガルバトリックスに無理やり捕《と》らわれていたものもある。

ガルバトリックスの呪文《じゅもん》と精神的拷問《ごうもん》で正気を失った〈エルドゥナリ〉は、アーンゴール山腹の奥深《おくふか》い洞窟《どうくつ》に保管されている。そこなら、錯乱《さくらん》した思考でだれかを攻《せ》めたて、傷つけることはない。願わくば、いつか、ほかのドラゴンたちの力を借りて彼《かれ》らを治してやりたいと、エラゴンは思っている。でもそれには、数十年とはいわない

までも、長い歳月《さいげつ》がかかるだろう。

もし自分にまかされていたら、エラゴンはすべての〈エルドゥナリ〉とドラゴンの卵を、同じように洞窟《どうくつ》に保管していたはずだ。それが彼《かれ》らを守る最善の方法であり、あそこがもっとも安全な金庫だからだ。この部屋に保護の魔法《まほう》を幾重《いくえ》にもかけているとはいえ、強奪《ごうだつ》される危険が絶対にないとはいえない。しかし、グレイダー、ウマロスをはじめ、思考が明瞭《めいりょう》な〈エルドゥナリ〉は、地下で暮らすことを拒否《きょひ》している。

ウマロスはいう。〔われらは百年を越《こ》える歳月《さいげつ》、〈魂《たましい》の部屋〉に閉じこめられていた。おそらくいつかまた、闇《やみ》のなかで百年の月日を待つときがくるであろう。それまでのあいだは、この石の上に光を感じて過ごしたいのだ〕

まあ、そういうことだ。

大きめの〈エルドゥナリ〉は中央の高座にのせられ、小さめのはそれを囲む環《わ》のなかにおさめられている。曲線状の壁《かべ》には、何十個もの細いランセット窓がある。エルフが飾《かざ》りつけた水晶《すいしょう》の粒《つぶ》で、差しこむ光が虹《にじ》色のしぶきとなって散っている。窓と〈エルドゥナリ〉のおかげで、北向きの部屋は日中どの時間も明るく、色とりどりの光のかけらでおおわれている。

ドワーフとエルフはこの部屋を〈色彩《しきさい》の間《ま》〉と呼ぶようになり、エラゴンも納得し

ている。まさにぴったりの名前だ。
　エラゴンは部屋の中央に進み、グレイダーの〈心の核《かく》〉、金色に輝《かがや》く石の前でひざまずいた。ドラゴンの意識がエラゴンの意識に触《ふ》れ、思考と感情の広大な眺望《ちょうぼう》が目の前に開けるのを感じた。いつもながら謙虚《けんきょ》な気持ちにさせられる体験だ。
〔なにを悩《なや》んでおる？　エラゴン・フィニアレル（若き有望な若者、エラゴンよ）〕
　落ち着かない気持ちのまま、エラゴンは唇《くちびる》をすぼめ、〈エルドゥナリ〉のうしろの、水晶《すいしょう》の散りばめられた半透明《はんとうめい》の窓を見やった。〔やることが多すぎて、とても追いつかないのです。ほかのことはなにもする気にならなくて。いらだちがつのるばかりです〕
〔心を落ち着けることを学ぶのだな〕グレイダーはいった。〔さすれば、そのような些末《さまつ》なことで悩《なや》まずにすむ〕
〔わかってるんです……自分でコントロールできないことが、ものすごくたくさんあるってことも〕エラゴンは感情のままに、ひややかな笑みを浮《う》かべた。〔でも、わかっているのと、行動するのは、まったく別ものなんです〕
　そこへ、また別の意識がくわわってきた。〈エルドゥナリ〉の長老のひとり、ウマロスだ。エラゴンは反射的に、ウマロスの意識がおさめられた白い石、〈心の核《かく》〉に

目を向けた。

ウマロスはいった。〔そなたには気晴らしが必要なのだ。気持ちを休め、仕切り直しができるようにな〕

〔そうなんです〕エラゴンはこたえた。

〔ならば、われらが協力できるだろう、アージェトラム。われとわが〈翼《つばさ》の友〉たちが、〈魂《たましい》の部屋〉からアラゲイジアをつねに見守っていることは知っておろう?〕

〔……ええ〕エラゴンはウマロスがいわんとしていることに、うすうす気づいた。

それはあたっていた。〔われらはいまも修練をつづけておるが、アージェトラム、それは日々の時間をつぶすためだけではなく、つねに状況《じょうきょう》を把握《はあく》しておくためでもあるのだ。あらたな敵が現れたとき、あわてないようにな〕

ウマロスの意識に、また別の意識がくわわった。たくさんの〈エルドゥナリ〉が、うなりをあげる海のようにエラゴンの意識のまわりに押《お》しよせてくる。いつもながら、彼《かれ》らの声をかわして自分の思考を保ちつづけるには、かなりの集中力が必要だ。

〔べつにあわてはしませんけどね〕

〔望むなら〕グレイダーがいった。〔われわれが見ているものを見せてやろう。どこかほかの地の情景を見れば、あらたな視点が得られるかもしれぬ〕

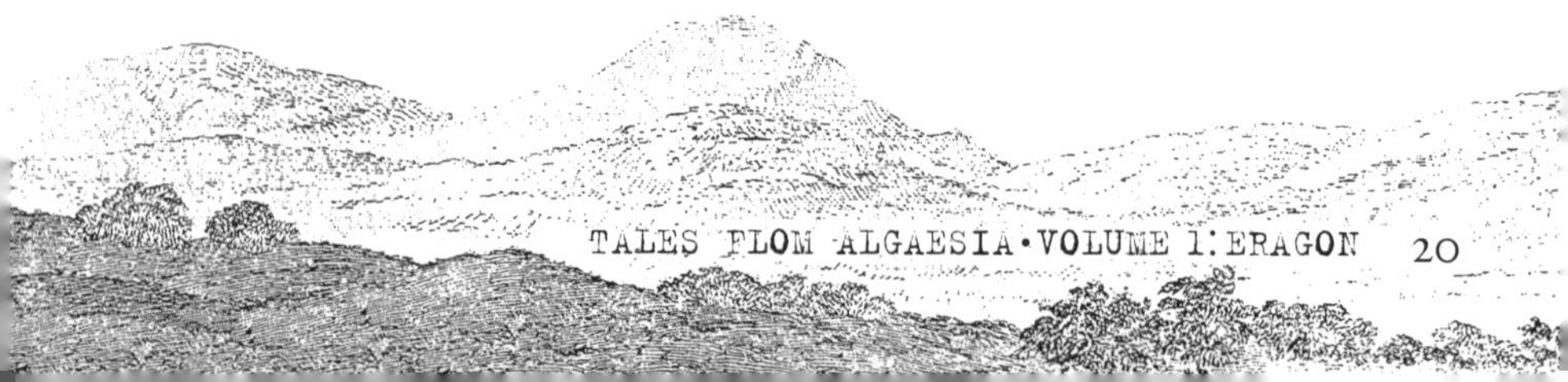

エラゴンはその申し出に躊躇《ちゅうちょ》した。〈時間はどれぐらいかかります？〉

〈若者よ、必要なだけ見るといい〉ウマロスがつづける。〈時間を気にすることこそ、そなたが改めるべきこと。ワシが一日の長さを気にかけるだろうか？　クマやシカや海の魚たちはどうか？　気にかけたりせぬ。ならば、なぜそなたは気にする？　できることだけを今日考え、残りはあしたにまわせばよい〉

〈わかりました〉エラゴンは胸を張り、深く息を吸って、心の準備をした。〈じゃあ、見せてください〉

突然《とつぜん》の潮流のように容赦《ようしゃ》なく、ドラゴンたちの意識が押《お》しよせてきた。エラゴンの意識は体から押《お》し流され〈色彩《しきさい》の間《ま》〉からも押《お》し流され、雪をかぶったアーンゴール山を離《はな》れ、あらゆる心配や悩《なや》みごとを離《はな》れ、なつかしくも遠いアラゲイジアの地へと運ばれていった。

目の前に映像があざやかに浮《う》かびあがり、エラゴンはまるで予想もしないものを見て、感じることに……。

第二章　わかれ道

マッデンタイド祭の期間から二日が過ぎ、星明りの空から北の港町シュノンに初雪が舞《ま》いおりてきた。

エッシーはそれどころではない。ヤーステッド家の裏の丸石敷《じ》きの路地を、踏《ふ》みつけるようにドスドスと歩いていた。口をかたく結び、頬《ほほ》を真っ赤にして、泣くのをこらえていた。

バカでいじわるなヒョーディスがきらいだった。あのつくり笑いも、しおらしいお辞儀《じぎ》も、侮辱《ぶじょく》的なふるまいも全部ひっくるめて、大きらいだった。

かわいそうなのはカースだ。

エッシーは彼《かれ》の反応が忘れられなかった。

飼い葉おけに突《つ》き飛ばしたときの、ひどく裏切られたような表情。あのとき、カースは声を発することもなく、おけのなかにすわったまま、目をまるく見開いて、ぼう然とこっちを見ていた。

はねた泥水《どろみず》でエッシーのドレスの袖《そで》はまだ濡《ぬ》れていた。

波止場に近づくにつれ、桟橋《さんばし》の下に打ちつける耳慣れた波の音が、しだいに大きくなってくる。エッシーはひたすら路地を歩いた――おとなたちがめったに使わない細い道を歩きつづけた。頭上では羽毛をふくらませたミヤマガラスが港の荷揚《にあ》げの作業所のひさしにとまっている。カラスは小首をかしげ、くちばしをあけ、陰気《いんき》な鳴き声をあげた。

寒いわけでもないのに、エッシーは身震《みぶる》いをして、肩《かた》のショールをしっかりと巻きつけた。夜中じゅう犬が遠吠《とおぼ》えをしていた。スヴァートリング家のミルクやパンをそなえる小さな棚《たな》のローソクは消え、いまは一羽のカラスだけが鳴いている。どれも不《ふ》吉《きっ》なものばかりだ。このうえまだ不運がわたしを襲《おそ》ってくるのだろうか？　これ以上悪いことが起きるなんて耐《た》えられそうにないのに……。

エッシーは魚市場のわきの生臭《なまぐさ》い干し棚《だな》のあいだをすり抜《ぬ》け、表通りへ出た。前方には音楽や人々の話し声が響《ひび》き、宿酒屋〈フルサム・フィースト〉の正面からは暖か

い光が漏《も》れている。〈フルサム・フィースト〉の窓は、ドワーフ特製の水晶《すいしょう》でできていて、揺《ゆ》れる炎《ほのお》の光でダイヤモンドのようにきらめいている。エッシーはこの窓を見るたびに――いまでさえも――みんなに自慢《じまん》したいような気持ちになる。通りのどの建物も、こんなにきれいな造りをしていない。

なかに入ると、酒場はいつものように騒《さわ》がしく、にぎわっていた。エッシーは客たちに目もくれず、まっすぐバーカウンターに向かった。店主の父親はそこでビールを注いだり、ジョッキを洗ったり、ニシンの燻製《くんせい》料理を出したり忙《いそが》しくしている。エッシーがカウンターの端《はし》の扉《とびら》をくぐろうとしたとき、父親と目が合った。

「おそかったな」

「ごめんなさい、パパ」エッシーは皿を取って、自分用にパンの切れ端《はし》と、かたい〈サルト〉のチーズ、半生《はんなま》のリンゴを――どれもカウンター下の棚《たな》から取り出して――たっぷりと盛った。まだ給仕を手伝える歳《とし》ではないが、あと片づけの手伝いはするつもりだった。

そして片づけが終わったあと、みんなが寝静《ねしず》まってから貯蔵室にしのびこんで、必要な食料を集めて、それから……。

エッシーは大きな石の暖炉《だんろ》の前の、空《あ》いている椅子《いす》へと皿を運んでいった。椅子《いす》の横には小さなテーブルがあって、向かい側のもうひとつの椅子《いす》には、男がすわっていた。痩《や》せ型で、目は黒く、あごひげは整えられており、黒の長い旅用のマントに身を包んでいる。膝《ひざ》の上に皿をバランスよくのせ、鉄製《てっせい》フォークを使って、店のおかみ特製の焼きカブと羊肉の料理をゆっくりと食べている。

エッシーはとくに気にもかけなかった。〈フルサム・フィースト〉にやってくるたくさんの客同様、その男もただの旅人のひとりだ。

椅子《いす》にドスンとすわり、エッシーはパンの切れ端《はし》を噛《か》みちぎった。まるでそれがヒョーディスの頭であるかのように想像しながら……指で、歯で、パンをちぎり、力をこめて噛《か》みつぶして、おかしな満足感をおぼえた。

それでも、まだ泣きだしてしまいそうで、よけいに腹が立った。泣くのは小さな子どものすることだ。泣くのは、人の言いなりになって、こきつかわれる弱虫のすることだ。わたしはそんな子じゃない！

と、リンゴにかじりついた拍子《ひょうし》に前歯のあいだに芯《しん》がはさまり、思わずいらだちの声をあげた。

「ご機嫌《きげん》ななめのようだ」向かいの男がおだやかな声でそういった。

エッシーは顔をしかめた。歯のすきまからリンゴの芯《しん》を引っこ抜《ぬ》き、暖炉《だんろ》にポンと

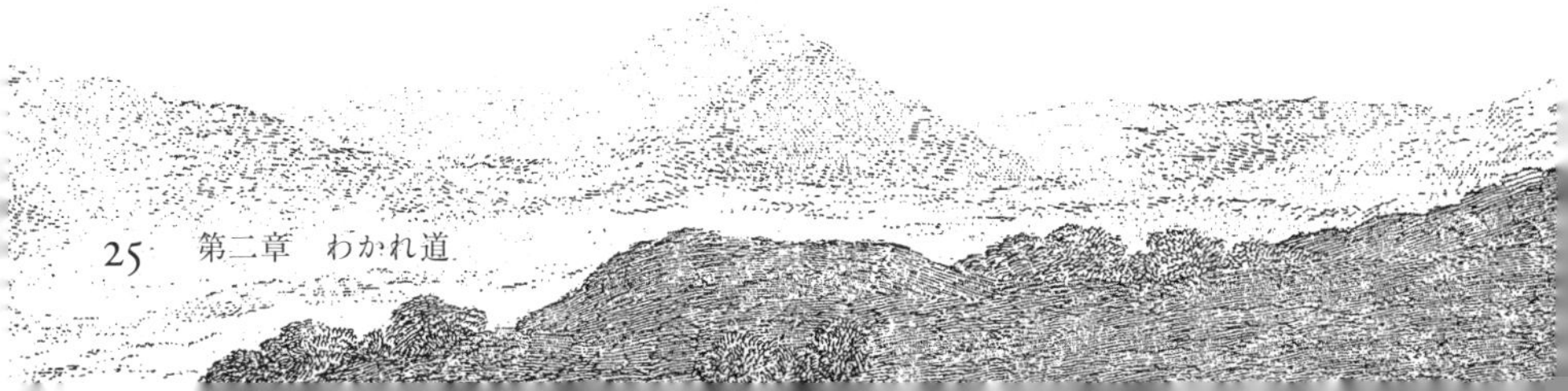

放る。「なにもかもヒョーディスのせいよ！」客とおしゃべりすることを父親はよく思わないが、エッシーは気にしていなかった。旅の客はいつもおもしろい話をしてくれるし、その大半がエッシーの髪《かみ》をくしゃっとなでたり、かわいいと褒《ほ》めてくれたり、砂糖がけナッツやシロップがけのねじりパンをくれたりする。

「おっと、そうなんだ」男はいった。フォークを置き、エッシーと向かいあうようにすわりなおした。「で、そのヒョーディスとは？」

「ヤリックのとこの娘《むすめ》。ヤリックは伯爵《はくしゃく》の家の石工頭《いしくがしら》なの」エッシーはむっつりしてこたえる。

「なるほど。だからそこの娘《むすめ》も偉《えら》いというわけか」

エッシーは首を振《ふ》った。「あの子が自分で偉《えら》いと思ってるだけよ」

「それで、ヒョーディスはなにをした？」

「いろんなこと！」エッシーはリンゴにガブリとかじりつき、噛《か》みくだこうとして、口の内側を噛《か》んだ。思わず顔をしかめ、飲みこんで、痛みをやりすごそうとする。

男はジョッキをつかんでのどをうるおした。「なんだか気になるな」男はそういって、ひげについた泡《あわ》をナプキンでぬぐった。「そのことをだれかに聞いてほしいか？話せば気が楽になるかもしれない」

エッシーはやや疑わしげな目で男を見た。正直そうな顔。でもその黒い瞳《ひとみ》は熱っぽく、どこか険しさも感じられる。エッシーには得体の知れないものだった。「お客さんの邪魔《じゃま》しちゃいけないってパパにいわれてるから」

「じつはちょっと暇《ひま》になってね」男は気やすくそういった。「ここで人と待ちあわせをしているんだが、なんたって、いつも遅《おく》れてくるやつでね。もし災難にあった話を披露《ひろう》したければ、熱心な聴衆《ちょうしゅう》になれるかもしれない男がここにいる」

男はおおげさな言葉をたくさん使った。しかもその発音はエッシーには耳なれないものだった。まるで舌で空気に彫刻《ちょうこく》でもしているかのように、ひどく気をつかって話しているようだ。そのせいなのか、目の険しさがあっても、男はいい人のように感じられた。

エッシーは椅子《いす》の脚《あし》をポンと蹴《け》った。「うーん……話したいけど、友だちじゃない人には話せない」

「そうか？　じゃあ、友だちになったらどうだ？」

「バカじゃない？　名前も知らないんだよ！」

男は笑った。きれいな歯をしている。「たしかに。本当にバカだな。よし、じゃあ仕切り直しだ。おれはトルナック」と、男は手を差し出した。指は長くて青白いけれ

ど、力強そうに見える。爪《つめ》は四角に切りそろえてある。

「わたしはシグリングの娘《シグリングスドーター》、エッシー」握手《あくしゅ》をしたとき、男の掌《てのひら》にタコが並んでいるのを感じた。

「よろしく、エッシー。じゃあ、話のつづきだ」

エッシーは手のなかの食べかけのリンゴを見つめた。ため息をつき、リンゴを皿にもどす。「全部ヒョーディスのせいなんだ」

「そういってたな」

「あの子はいつもいじわるなの。自分の友だちを使って、わたしをからかったりするし」

トルナックは深刻そうな顔をした。「それはよくないな」

その言葉にはげまされ、エッシーはさらに怒《いか》りをこめてうなずいた。「そうでしょ！というか……どっちにしろあの子たちには、ときどきはからかわれるんだけど、それでも――ヒョーディスがいっしょだと、よけいひどくなるんだ」

「今日がそうだったわけか？」

「うん。まあね」エッシーはチーズをひとつ割って、ちびちびとかじりながら、ここ数週間のことを思い返してみた。トルナックは気長に待っている。エッシーは彼《かれ》のそ

ういうところに好感をおぼえた。なんとなくネコを思わせる。やがてエッシーは、勇気をふりしぼって話しだした。「収穫期《しゅうかくき》の前ごろから、ヒョーディスがわたしに優しくなったの。だから――これからは、いろいろなことがよくなるんだと思った。あの子、家にまで呼んでくれたんだよ」エッシーはトルナックをちらりと見た。「すぐそこのお城のそばの家」

「なるほど、すごいな」

トルナックの共感を得たことがうれしくて、エッシーはうなずいた。「わたしにリボンをくれたの。黄色いのを。そして、マッデンタイド祭のあとのパーティにわたしを招待してくれた」

「それで、行ったのか？」

エッシーはまたうなずいた。「うん――今日だった」

目に涙《なみだ》があふれてきた。自分がなさけなくて、必死にまばたきをする。

「ほら」トルナックは心配そうな顔で、柔《やわ》らかそうな白いハンカチを差し出してくれた。

一瞬《いっしゅん》、エッシーは受け取るのをためらった。なんて清潔なハンカチ！　でも、そのうち涙《なみだ》が頬《ほほ》に流れてきて、ハンカチを受け取って目をぬぐった。「ありがとう、おじ

さん」

男の顔にまた別の笑みが浮《う》かんだ。「おじさんと呼ばれたのは、ずいぶん久しぶりだ。それで、パーティはうまくいかなかったのか？」

エッシーは顔をゆがめ、ハンカチを彼《かれ》に押《お》しかえした。もう泣かないつもりだった。絶対に。「パーティはよかった。悪いのはヒョーディスだよ。またいじわるになって、それから……そのあと」――エッシーはお腹に勇気を満たすかのように、深々《ふかぶか》と息を吸いこんだ――「ヒョーディスがいったの。いうとおりにしないと、うちのお店を冬至のお祝いの日に使わないように、お父さんにいってやるって」それがなぜそんなに大事なことなのか、この人はわかっているだろうか？　と、エッシーはトルナックをじっと見た。「石工《いしく》の人たちがみんなでうちにお酒を飲みにきて」――思わずしゃっくりが出る――「職人さんたちはたくさん飲むんだよ。だから、ものすごくたくさんお金を使っていくの」

トルナックは皿をテーブルに置き、エッシーのほうへ身を乗り出した。屋根のふきわらにそよぐ風のようにマントがカサカサと音を立てた。彼《かれ》の顔は真剣《しんけん》そのものだ。

「それで、なにをしろといわれた？」

恥《は》ずかしさのあまり、エッシーは泥《どろ》だらけの靴《くつ》に目を落とした。「カースを馬の飼

い葉おけに入れちゃえって」あわててしゃべろうとして、言葉がつかえる。

「カースは友だちなのか？」

　エッシーはみじめな気持ちでうなずいた。カースのことは三歳《さい》のころから知っている。「カースは波止場に住んでるの。お父さんが漁師で」

「そうか、じゃあ、そういうパーティには呼ばれないんだな」

「うん。でも、ヒョーディスがお手伝いさんに命令して、カースを家まで連れてきて……」エッシーは表情を険しくしてトルナックを見た。「どうしようもなかったの！　カースを飼い葉おけに突《つ》き飛ばさないと、ヒョーディスはお父さんに、〈フルサム・フィースト〉に行くなっていったにきまってる」

「わかるよ」トルナックはなだめるような声でいった。「それで、友だちを突《つ》き飛ばしてしまった。あやまることはできたのか？」

「ううん」エッシーはさらにみじめな気分でこたえた。「わたし――逃《に》げたんだ。でも、みんなが見てた。カースはわたしとはもう友だちでいたくないって思うよね。だれだってそうだよ。ヒョーディスはわたしを罠《わな》にはめたんだよ。あんな子、大きらいだ」エッシーはリンゴをつかんで、またすばやくひとかじりした。歯がカチッと音を立てる。

トルナックはなにかいおうと口を開きかけたが、そのとき店の亭主《ていしゅ》がジョッキをふたつ手にして通りかかった。亭主《ていしゅ》は眉《まゆ》をひそめてエッシーを見た。「娘《むすめ》がご迷惑《めいわく》をおかけしてないでしょうね、トルナックの若旦那《わかだんな》？　この子は、お客さんが食べるのを邪魔《じゃま》する悪いクセがありましてね」

「とんでもない」トルナックは微笑《ほほえ》んでいった。「長い道中、太陽と月ぐらいしか旅の友がいなかったので、だれかと話すのも悪くない。それよりも——」トルナックの指がベルトの下に沈《しず》み、ピカピカの銀貨が父に渡《わた》されるのが見えた。「となりのテーブルを空けておいてほしい。連れを待っているんだ。仕事の打ちあわせがあってね」

銀貨をエプロンのなかにしまうと、父は首をひょいと振《ふ》ってうなずいた。「もちろんですとも、若旦那《わかだんな》」と、すこし心配そうな顔でエッシーをもう一度見てから、給仕にもどった。

エッシーは突然《とつぜん》、申しわけない気持ちになった。自分がいなくなったら、パパはとても悲しむだろう。でも、そうするしか方法がない。出ていかなくちゃならないんだ。

「さて」トルナックは長い足を暖炉《だんろ》のほうへ伸《の》ばしながらいった。「エッシー・シグリングスドーター、災難の話はあれで全部なのか？」

「うん、そう」エッシーはかぼそい声でこたえた。

トルナックは皿からフォークをつかみ、指のあいだでくるくるとまわしはじめた。エッシーはその光景に魅《み》せられた。「考えているほど状況《じょうきょう》は悪くない。友だちにちゃんと説明すればきっと――」

「無理だよ」エッシーは強くいいきった。カースのことはよく知っている。エッシーがしたことを許してくれるはずがない。波止場の友だちはだれも許してはくれないだろう。エッシーがみんなを裏切って、ヒョーディスや城のそばに住む友だちの仲間になったと考えるだろう。それに、ある意味それはあたっている。「カースはわかってくれないよ。もう信じてもらえない。わたしはみんなにきらわれるんだ」

トルナックの口調が強くなった。「じゃあ、きっと彼《かれ》らは本当の友だちじゃなかったんだ」

そんなことを考えるなんて耐《た》えられなかった。「友だちだったよ。そんなのわからないくせに！」エッシーはこらえきれず、こぶしで椅子《いす》の肘《ひじ》かけをたたいた。「カースは……本当にいい子で、みんながカースのことを好きなんだよ。だからこんどのことで、みんながわたしをきらいになる。どうせわからないよ。おじさんはおとなで……年を取ってるから」

トルナックは眉《まゆ》を額の上のほうまでつりあげた。「おれがどんなに物知りか、知ったらおどろくはずだ。じゃあ、みんなにきらわれたらどうするんだ？」

話すつもりはなかったのに、よく考える前に言葉が口をついて出た。「家出する」

自分がいったことに気づいたとたん、エッシーはうろたえてトルナックを見た。「パパにはいわないで、お願い！」

トルナックはジョッキのビールをまたひと口飲み、あごのひげをなでた。エッシーの計画に動揺《どうよう》した様子はない。パパはきっと動揺《どうよう》するだろうけど。トルナックはむしろ、彼女《かのじょ》の話を真剣《しんけん》に受けとめているようで、エッシーはそれがうれしかった。

「で、どこへ行く気だ？」トルナックはたずねた。

そのことはもうちゃんと考えてある。「南の、暖かいところへ。あした隊商の一団が町を出ていくの。親方がよくこの宿に来るんだ。いい人よ。こっそり抜《ぬ》け出して、隊商といっしょにギリエドへ行くの」

トルナックが指先でフォークをつついた。「そのあとは？」

それから先のことは、ぼんやりとしか見えていないけれど、最終目的地は決まっている。「ビオア山に行って、ドワーフ族に会う！」そう考えるとわくわくしてくる。

「ドワーフたちがここの窓をつくってくれたんだよ。すてきでしょ？」エッシーは指

さした。

「ああ、なかなかのものだ」トルナックが相槌《あいづち》を打つ。

「ビオア山には行ったことある？」

「ああ」トルナックはこたえた。「一度、ずっと昔にな」

エッシーは感心して、あらたな興味を持ってトルナックを見た。「本当？　みんながいうとおり、すごく高い山なの？」

「ああ、頂上が見えないほどだ」

エッシーは頂上をイメージしようと、椅子《いす》の上で体をのけぞらせた。おかげで頭がくらくらする。「すてきだね」

トルナックがフンと鼻を鳴らした。「矢で射たれることを抜《ぬ》きにすれば、まあすてきだろうな……ところでエッシー・シグリングスドーター、家出しても問題解決にならないのはわかってるよな」

「うん、それはそうだけど」エッシーはこたえた。トルナックはあたりまえのことをいっているように思える。「でも、ここを出れば、ヒョーディスにいじわるされずにすむ」エッシーはふくれっ面をした。

トルナックは笑いだすようにも見えたが、そこでまたビールをひと口飲んで、こん

どはさっきよりまじめくさった顔つきになった。「あるいは、これは単なる提案なんだが、逃《に》げ出すんじゃなく、問題をなんとか解決することもできるんじゃないか」

「解決なんかできないよ」エッシーは頑固《がんこ》にいい張った。

「親のことはどうする？　急に子どもがいなくなったら、両親は悲しむぞ。本当にそれでいいのか？」

　エッシーは腕組《うでぐ》みをした。これは望んでいた展開とはちがう。トルナックはずっと味方をしてくれていたのに。どうしていまさら反対の意見をいうんだろう？「うちには弟も妹も、それにオルファもいる。オルファはまだ二歳《さい》だよ」エッシーは口をとがらせた。「パパもママも悲しんだりしないよ」

「そうは思わないな」トルナックはいった。「考えてみろ、ヒョーディスにしたことは〈フルサム・フィースト〉を守るためだったんだろ。それを知ったら、きっと娘《むすめ》のことを誇《ほこ》りに思うはずだ」

「そうかな」エッシーは納得がいかない。「わたしがいなければ、問題は起きなかったんだよ。わたしが問題の種なの。わたしがいなくなれば、すべてまるくおさまるんだ」心を決めたように、エッシーはリンゴの芯《しん》をつかんで、大きな暖炉《だんろ》に投げこんだ。

火花が渦《うず》となって煙突《えんとつ》へ立ちのぼり、ジューッと水分が蒸発する音が聞こえた。おおげさなほど気軽な口調でトルナックはいった。「それはなんだ？」

「え？」と、エッシー。

「ほら、腕《うで》のそれ」

下を見ると、袖《そで》がめくりあがって、左手首のくねくねした赤い傷痕《きずあと》があらわになっている。エッシーは恥《は》ずかしさに、袖口《そでぐち》を引っ張りおろした。「なんでもない」ぼそっとこたえる。

「見せてみなさい」トルナックはそういって、手を伸《の》ばした。エッシーはとっさにためらったが、トルナックがとても礼儀《れいぎ》正しく自信に満ちて見えたので、つい腕《うで》を差し出してしまった。

トルナックは母親のような優しい手つきで袖口《そでぐち》を引きあげた。エッシーは顔をそむけた。いまさら傷痕《きずあと》を見たくはない——手首から肘《ひじ》まで這《は》うようにのびた前腕《ぜんわん》の傷痕《きずあと》を、あえて見る必要はない。

エッシーは、談話室のほかのお客さんたちが気づかないようにと願った。

すこしして、トルナックが袖《そで》をもとにもどすのを感じた。「これは……立派な傷だ。自慢《じまん》に思うべきだ」

エッシーはとまどってトルナックを見つめ返した。「自慢《じまん》？　こんな醜《みにく》い傷。気持ち悪いだけだよ」

トルナックの唇《くちびる》の端《はし》に、かすかな笑みが浮《う》かんだ。「傷痕《きずあと》は生きのびた証拠《しょうこ》だ。強くて、簡単には死なないってことだろ。生きている証拠《しょうこ》だよ。称賛《しょうさん》にあたいするものだ」

「そんなわけないよ」エッシーはそういって、暖炉《だんろ》の上の、ブルーベルの花が絵付けされた壺《つぼ》を指さした――去年の冬、ヘレナ叔母《おば》さんがくれた贈《おく》り物で、数か月前にエッシーが床《ゆか》にたたき落としてしまったものだ。口のところから底にかけて、長いひびが入っている。「傷物ってことだよ」

「そうか」トルナックはおだやかな声でいった。「でもときには、懸命《けんめい》にがんばれば、傷をなおして、前よりもっと強くなることだってできる」

エッシーはだんだんこの会話を楽しめなくなってきた。腕《うで》を組み、左手をわきの下に押《お》しこんだ。「ヒョーディスやあの子の仲間たちは、これのことでいつもわたしをバカにする」ぼそぼそという。「わたしの腕《うで》はキンメダイみたいに赤いって。これのせいで結婚《けっこん》できないって」

「両親はなんと？」

エッシーは顔をしかめた。「大丈夫《だいじょうぶ》だって。でも、そんなことわからないでしょ?」

トルナックは首をかたむけた。「まあ、たしかにな。でもな、両親はそういって娘《むすめ》を守ろうとしてるんだ」

「だけど、そんなの無理だよ」エッシーはムッとしていった。トルナックに目をやると、その顔には険しさがもどっている。でも、それはエッシーに向けられたものではないようだ。「おじさんにはなにか傷痕《きずあと》がある?」エッシーはたずねた。

トルナックの口から乾《かわ》いた笑い声がもれた。「あるとも」と、あごの小さな白い傷《きず》痕《あと》を差していう。「ほんの数か月前のものさ。ふざけて遊んでるとき、友だちにやられたんだ。うどの大木みたいなやつでな」愛情めいたものがトルナックの顔を心なしか明るくした。トルナックはエッシーにたずねた。「その傷はどうしてできた?」

こたえるまでにしばらくかかった。頭のなかに見えるのは、三年前の朝の、厨房《ちゅうぼう》のようすだけで、聞こえるのは、ママの取り乱したさけび声だけ……「事故だったの」エッシーはつぶやいた。「熱いお湯の入ったお鍋《なべ》がひっくり返って、腕《うで》にかかったんだ」

トルナックが目を細めた。「ひとりでにひっくり返ったのか?」

エッシーはうなずく。父親にぶつかったことはいいたくなかった。でも、あれはパ

パのせいじゃない！　エッシーが厨房《ちゅうぼう》で走りまわっていて、父親が彼女《かのじょ》に気づかずぶつかった。そのせいで、父親がひどく責任を感じていることも、わかっている。

「そうか……」トルナックは暖炉《だんろ》の火を見つめていた。その目に、火の粉や残り火が映っている。

エッシーは気になってトルナックを見た。「どこから来たの？」

「遠いところさ」

「南のほう？」

「そう。南のほう」

エッシーは椅子《いす》の脚《あし》をポンと蹴《け》る。「南のほうって、どんなところ？」家出するとしたら、なにが待ちうけているかは知っておくべきだ。

トルナックはゆっくりと息を吸い、首をうしろにそらして天井を見つめた。「場所によっていろいろだ。暑いところもあれば寒いところもある。風が年じゅう吹《ふ》きやまない場所もある。森は果てしなくつづくように見える。洞窟《どうくつ》は地中の奥深《おくふか》くまでつながっていて、平原はアカジカの大群でおおわれている」

「怪物《かいぶつ》もいる？」エッシーはたずねた。

「もちろん」トルナックはこたえ、エッシーに目をもどした。「怪物《かいぶつ》はどんなところ

にもいるさ。ときには人間のように見えるやつだって……じつをいうと、おれも家を飛び出したんだ」

「そうなの？」

トルナックはうなずいた。「ああ、いまのきみよりは年が上だったけどな。家を出た。だけど、なにかから逃《に》げて家出したわけじゃない……いいか、エッシー、ここから逃《に》げればなにもかもうまくいくと思っているようだが――」

「ああ、いたいた、放浪者《ほうろうしゃ》トルナック」ヘビが這《は》うような、いかにもずるそうな声に、エッシーはうなじの毛がむずむずするのを感じた。男がひとりテーブルのあいだを歩いてきた。痩《や》せぎすで猫背《ねこぜ》のその男は、継《つ》ぎのあたったマントを羽織り、その下にみすぼらしい服を着ている。指には指輪が光っている。

エッシーは一目見ていやな男だと思った。湿《しめ》った毛皮のにおいもきらいだし、動作や目つきを見ただけで、本能的に警戒心《けいかいしん》がわきおこった。

「サロス」トルナックの顔に一瞬《いっしゅん》よそよそしさが浮《う》かんだ。「待ちかねたぞ」

「あのあたりは近ごろ物騒《ぶっそう》でね」サロスはこたえた。空《あ》いた椅子《いす》をつかみあげ、エッシーとトルナックのあいだに置くと、ふたりのほうを向いてすわった。

ほかに数人の男たちが通りから入ってくるのが見えた。全部で六人。見るからに

荒《あら》っぽそうな男たちだが、漁師とも様子がちがう。毛皮や革を羽織った野暮《やぼ》ったい風体は、春のあいだやってくる罠《わな》かけ猟師《りょうし》に似ている。猟師《りょうし》たちはすぐに面倒《めんどう》を起こすので、店の亭主《ていしゅ》はしょっちゅう彼《かれ》らを追い出すはめになる。

カウンターの向こうで、父親は新しい客たちに警戒《けいかい》の目を向けた。革を巻きつけた警棒を取り出し、無言の警告としてタオルの横に置いた。エッシーはそれを見て安心した。どんなに酒癖《さけぐせ》の悪い酔《よ》っ払《ぱら》いでも、パパが警棒で数発おみまいすればおとなしくなる――そんな場面を見てきたからだ。

サロスは汚《よご》れた長い人差し指をエッシーに向けていった。「仕事の話をするんでね。お嬢《じょう》ちゃんは外してもらおうか」

「隠《かく》すようなことはなにもない」トルナックはさらりといった。「そこにいてかまわないよ」と、エッシーに目をやる。「もし興味があるなら。世の中で役立つことをなにか学べるかもしれない」

エッシーは椅子《いす》の上で身をすくめたが、席を離《はな》れなかった。トルナックの言葉に好《こう》奇心《きしん》をくすぐられたのだ。それに、なぜかわからないけれど、さっきの不吉《ふきつ》の前兆が頭によみがえってきて、もしここを離《はな》れたら、トルナックになにか恐《おそ》ろしいことが起きそうな気がしたのだ。

サロスは首を振《ふ》りながら、歯のすきまからシーッという長い音を漏《も》らした。「アホらしいな、流れ者よ。まあ、好きにすりゃいいさ。なにをしようと文句はいわねえよ」

トルナックの目が一瞬《いっしゅん》、冷たく光った。「もちろんだ。それで、なにを見つけた？三か月も経つのに――」

サロスが手をひらひらと振《ふ》る。「わかってるさ、三か月だ。いったろ、物騒《ぶっそう》な場所だとな。だが見つけたぜ、あんたの探してたものをな。論より証拠《しょうこ》だ、おれが見つけたのは――」サロスはベルトにつけた革の財布から、こぶし大の黒いなにかのかたまりを取り出し、テーブルにドンと置いた。

トルナックと同時にエッシーも身を乗り出した。

そのなにかはただの石だった。でも、そこにはいままで見たことのないような深い輝《かがや》きがある。まるで石の真ん中に、火のくすぶる石炭が埋《う》められているかのようだ。エッシーはにおいを嗅《か》ぎ、鼻にしわをよせた。オエッ！　腐《くさ》った卵よりひどいにおいだ。

トルナックは、それが存在するのが信じられないかのように、石をじっと見つめた。「いったいこれは……？」

サロスは波止場にとまっているサギのように肩《かた》をすくめた。「まったく見当もつかないね。だがあんたの探し物は、あり得ねえもの、場ちがいなものだったろ。そもそも常識にはハマらねえってことだ」

「ほかにもまだあったのか、それとも……？」

サロスはうなずいた。「そう聞いたぜ。あたり一面、石が散らばってたと」

「黒く焼け焦《こ》げたものか？」

「炎《ほのお》で焼かれたようにな。だが、火や煙《けむり》の気配はまったくない」

エッシーが口をはさんだ。「それ、どこで拾ってきたの？」

サロスはいやらしい笑みを浮《う》かべた。その歯が鋭《するど》くとがっているのを見て、エッシーは恐《おそ》ろしさより不快感をおぼえた。「さて、そこが肝心《かんじん》なところなんだ、お嬢《じょう》ちゃん。まさにな」

トルナックが石に手を伸《の》ばすと、サロスはその光沢《こうたく》のかたまりに手をかぶせ、指でかこった。「待て。流れ者よ、金が先だ」

トルナックは唇《くちびる》をぎゅっと結び、厚いマントの下から小さな革の巾着《きんちゃく》を取り出した。トルナックがテーブルにそれを置くと、チャリンと音が響《ひび》いた。

サロスの笑みが広がる。巾着《きんちゃく》のひもを引いてゆるめると、なかに黄色く輝《かがや》くものが

見えた。エッシーはハッと息をのんだ。金貨だ！　金色の硬貨《こうか》を目にするのは初めてだった。

「とりあえず半分」トルナックはいった。「残りは、見つけた場所を聞いてからだ」と、指先で石をつつく。

サロスが息をつまらせたような異様な音を発した。笑っているのだ、とエッシーが気づくのに数秒かかった。サロスがいう。「それはないな、流れ者よ。おことわりだ。残りの金もおれたちにくれたら、あんたも痛い目にあわずにすむ」

店の奥《おく》のほうで、毛皮をまとった男たちがマントの下に手を入れ、剣《けん》の柄《つか》が半分顔を出して見えた。

エッシーは体がこわばり、パニックになって父親を見た。父親は客に気を取られている。波止場の労働者がカウンターに寄りかかって、無駄話《むだばなし》をしているのだ。口をあけ、父親にさけんで知らせようとしたとき、サロスが薄刃《うすば》のナイフを取り出し、エッシーののどに押《お》しあてた。

「おっと」サロスがいう。「お嬢《じょう》ちゃん、黙《だま》っててもらおうか。じゃないと、のどをスパッとかっ切っちまうぞ」

エッシーは恐怖《きょうふ》で体がこおりついた。冷たいナイフの感触《かんしょく》に命をおびやかされ、呼

吸もろくにできないほどだ。急に、さっきまでの悩《なや》みのあれこれが、まったくどうでもいいことに思えた。きっとパパが助けてくれる——絶対助けてくれると思う——ただしそれは、娘《むすめ》の危機に気づけばの話だ。エッシーはカウンターのほうをちらちらと見て、父親に思いがつうじることを必死に祈《いの》った。

トルナックは目の険しさがいっそう増したものの、それ以外はおだやかなままだ。

「なぜ状況《じょうきょう》が変わるんだ、サロス？　金はじゅうぶん払《はら》ってるだろ」

「ああ、そうだ。そこが肝心《かんじん》なところだ」サロスは口角をあげ、体をぐっと寄せてきた。吐《は》く息は腐《くさ》った肉のにおいがする。「暗示や噂話《うわさばなし》にこれだけの金をほいほい使うんだ、常識はないかわりに金はたっぷりあるにちがいない。うんとたっぷりな」

エッシーは男のすねを蹴《け》ってやろうかと思ったが、ナイフが怖《こわ》くてできなかった。

トルナックの眉間《みけん》にしわが寄り、小声でののしり言葉をつぶやくのが聞こえた。それからこういった。「こんな争いごとはやめたほうが身のためだ。ただ場所を教えて、代価の金を受け取れば、だれもケガをせずにすむ」

「争いごとだと？」サロスはそういってケラケラと笑った。「あんたには剣《けん》もない。こっちは六人、そっちはひとりだ。あんたの望みがどうあれ、金貨はおれたちのものってことさ」

すーっと鋭《するど》い痛みとともに、鉄の刃《は》が首筋に食いこみ、エッシーは体をかたくした。

「わかるだろ？」サロスはいった。「あんたのために選択《せんたく》しやすくしてやったんだ、流れ者さんよ。残りの金貨を渡《わた》すんだな。さもないと、このお嬢《じょう》ちゃんが血を見ることになるぜ」

エッシーは息を凝《こ》らし、トルナックをじっと見つめた。ナイフを隠《かく》し持っていて、危険をかえりみずなにか勇ましいことをしてくれるのではないかと、心のどこかで期待した。トルナックはそんな人に見えた。彼《かれ》が助けてくれることを、心のどこかで願った。

だがそうではなく、トルナックがしたことは、ただ奇妙《きみょう》な言葉を発しただけだ。トルナックの前の空気が震《ふる》えたように見えたが、それ以外はなにも起こらない。なにをしようとしたのかわからないけれど、うまくいかなかったのだ。

サロスはまたケラケラと笑った。「愚《おろ》か者め。まったく愚《おろ》かなこった」あいているほうの手で、鳥の頭蓋骨《ずがいこつ》の形をした魔除け《アミュレット》を上着から引っぱり出した。「これがわかるか、流れ者？　魔女《まじょ》のベイチェルがおれたち全員の首飾《くびかざ》りに呪文《じゅもん》をかけてくれたのさ。あんたの呪術《じゅじゅつ》めいた手口はもう通用しないぜ。おれたちはどんな邪悪《じゃあく》なものからも、守られてるんでね」

「そうなのか?」トルナックはそういうと、言葉を発した。本当に言葉だった。それが鐘《かね》の音のように響《ひび》いたとき、エッシーはその音のなかに、あらゆる意味が聞き取れたような気がした。だが、言葉をいくら思い出そうとしても、なんの記憶《きおく》も残っていない。

どんよりとした静寂《せいじゃく》がつづいた。酒場の客のだれもがトルナックを見ている。そのほとんどが、夢から覚めたばかりのようにぼう然としている。

魔法《まほう》だ! エッシーは目を見開いた。あまりのおどろきで、恐怖《きょうふ》も吹《ふ》きとびそうになる。いまの女王のもとでは、魔術師《まじゅつし》の会〈ドゥ・ヴラングル・ガータ〉の許しを得ないかぎり、だれも魔法《まほう》を使ってはいけないことになっている。でも、エッシーは昔話で語られる魔法《まほう》というものを見てみたいと、いつも思っていた。

言葉が鳴り響《ひび》いたのに、サロスはなんの影響《えいきょう》も受けていないようだ。このとき初めて、トルナックが動揺《どうよう》したように見えた。

「エッシー!」父親が声をあげた。警棒をつかみ、カウンターを飛びこえてきた。

「その子をはなせ!」と、一歩《いっぽ》踏《ふ》み出す間もなく、毛皮の男がふたり飛びかかって父親を床《ゆか》に倒《たお》した。ズンッという鈍《にぶ》い音を立て、ひとりが父親の頭を剣《けん》の柄《つか》でたたく。

父親はうめき声をあげ、警棒を落とした。

店内のだれひとりとして動こうとしない。

「パパ！」エッシーは叫《さけ》んだ。のどにナイフさえあたっていなければ、すぐに駆《か》け寄っていただろう。父親が力に屈《くっ》するのを見るのは初めてだった。床《ゆか》に倒《たお》されたその姿を見たとき、最後の頼《たの》みの綱《つな》が切れたのを感じた。

　またしてもサロスがケラケラと、さっきより大きな声で笑った。「あんたのまじないは効かないんだよ、流れ者さんよ。どんな魔術《まじゅつ》もベイチェルの魔力《まりょく》にはかなわない。そこまで強い魔術《まじゅつ》はないのさ」

「そうかもしれないな」トルナックはいった。落ち着きを取りもどしたように見えることが、エッシーには不可解だった。トルナックはフォークをつまんで、手でいじりはじめている。「ならば、いいだろう。これにかんして選択肢《せんたくし》はなさそうだ」

「あたりまえだ」サロスがしたり顔でいう。

　母親がエプロンで手をふきながら、厨房《ちゅうぼう》の戸口に現れた。「いったいなんの――」いいかけたとき、サロスが持つナイフと床《ゆか》に倒《たお》れた父親に気づき、母親は顔色《がんしょく》を失った。

「騒《さわ》ぎなさんな。ご亭主《ていしゅ》が刺《さ》されることになるぞ」毛皮の賊《ぞく》のひとりが父親に刃《は》を向けていった。

ほかの人たちが母親に気を取られているとき、エッシーはトルナックが唇《くちびる》をかすかに動かし、声なき言葉を発するのを見た。すると、フォークに炎《ほのお》のようなさざ波が走った。

まばたきしていたら、見逃《みのが》していたようなできごとだ。

サロスはテーブルをたたいた。「騒《さわ》ぎはもうしまいだ。さあ、金を出せ」

トルナックは首をかしげ、ふたたびマントの下に――左手を――入れた。ただのんびりとすわっているように見えたつぎの瞬間《しゅんかん》、エッシーの目では追いつかないほどの速さで彼《かれ》は動いた。マントが宙にはためき、エッシーの顔に風が吹《ふ》きつけ、フォークがテーブルの上を走り、カチャン！　と音が響《ひび》く。ナイフはサロスの手からはじき飛ばされ、丸太の壁《かべ》に突《つ》き刺《さ》さっていた。

トルナックはすわったまま腕《うで》を伸《の》ばし、サロスのあごの下にフォークの歯をあて、先端《せんたん》でくすぐるしぐさをした。鋭《するど》い歯を持つ男は生唾《なまつば》をのんだ。噴《ふ》き出した汗《あせ》で顔が光っている。

エッシーは依然《いぜん》として動くことができずにいた。サロスの手はのど元のすぐ横にあって、まるで首を引っこ抜《ぬ》こうとするように指を広げている。

「さっきの話だが――」トルナックはいった。「おまえたちの魔除《まよ》けは、ほかのもの

に魔法《まほう》をかけることまでは阻止《そし》できないのさ。たとえば、このフォークとか」トルナックは目に残忍《ざんにん》な光を浮《う》かべ、サロスの肌《はだ》にフォークの先をぐっと押《お》しこんだ。

「おまえを倒《たお》すのに剣《けん》など必要だと思うか？　腹黒い野郎《やろう》どもめ」

サロスは非難するようにシーッと音を漏《も》らした。そしてエッシーをトルナックのひざのほうへ押《お》しやり、椅子《いす》をひっくり返してうしろへ飛びのいた。

エッシーは床《ゆか》に倒《たお》れこんだ。恐《おそ》ろしさのあまり、テーブルのあいだを這《は》い進んで、母親のところまでたどり着く。店内は、わめき声やら物がぶつかる音やらジョッキの割れる音やらで、大騒《おおさわ》ぎになっていた。

母親はなにもいわずにエッシーを自分のスカートの陰《かげ》に隠《かく》し、椅子《いす》をつかむと、武器か楯《たて》のように体の前でかまえた。

店内の客たちが押《お》し合いながらいっせいに逃《に》げだしていく。毛皮を着た六人はみな刃物《はもの》をかまえ、トルナックを取りかこんで暖炉《だんろ》の前に追いつめようとしたが、トルナックはそれを許さない。マントをさっと脱《ぬ》ぎすて、酒場のなかをネコのようにしなやかに動きまわっている。部屋のすみへとひっこんでいたサロスが、声をあげた。

「みじん切りにしちまえ！　殺しちまえ！　腹をかっさばいて、はらわたをぶちまけてやれ」

いちばん近くにいた男が、刃物《はもの》でトルナックに襲《おそ》いかかった。トルナックはフォークでその突《つ》きをかわすと、すかさず前へ飛び出し、男の胸にフォークを突《つ》き刺《さ》した。収穫期《しゅうかくき》の終わりの乱闘騒《らんとうさわ》ぎは何度も見てきたエッシーだが、これは酒に酔《よ》った労働者たちの喧嘩《けんか》とはわけがちがう。もっとずっと大変な事態だ。しらふの男たちが、人の見ている前で堂々《どうどう》と殺しあいをしているのだ。いつもの何倍も怖《こわ》いのはそのせいだ。

父の姿を探すと、カウンターの陰《かげ》に這《は》っていこうとしているのが見えた。切れた額から血がしたたっている。「パパ！」エッシーはさけんだが、その声はとどかない。

サロスの手下がまた三人、トルナックに襲《おそ》いかかった。ひとりずつ順にではなく、三人いっぺんに剣《けん》を振《ふ》りまわして向かっていく。

トルナックは片手で椅子《いす》をつかむと、左側の男に投げつけた。と同時に、フォークで残るふたりの攻撃《こうげき》をかわす。相手が防御《ぼうぎょ》をやぶろうとすると、トルナックはその動きにぴたりとあわせ、おどろくほどのフォークさばきで受け流した。男たちは剣《けん》の長さのぶんだけ有利なのに、トルナックはうまく身をかわしては、すばやく攻撃《こうげき》態勢にもどる。目にもとまらぬ速さでフォークを突《つ》き、一回、二回、三回、四回――強い衝《しょう》撃音《げきおん》のあと、男たちは床《ゆか》に倒《たお》れてうめいていた。

店の向こう側では、父親がカウンターにたどり着いてなんとか立ちあがっている。手には警棒をにぎったままだが、革を巻きつけただけの棒は、ぎらつく剣《けん》の前で役に立ちそうもない。

「エッシー」母親がこわばった声でいった。「厨房《ちゅうぼう》にオルファがいるの。オルファのところへ行って――」

いい終わらないうちに、サロスの手下のひとりがエッシーたちに迫《せま》ってきた。殴打《おうだ》するための武器、戦棍《せんこん》を手ににぎり、母親のかまえた椅子《いす》を殴《なぐ》りつける。衝撃《しょうげき》で椅子《いす》はこわれ、母親の手からたたき落とされた。

エッシーはこのときほど自分がなさけなく、無力に思えたことはなかった。パパは離《はな》れたところにいて助けに来られない。毛皮の男が剣《けん》を振《ふ》りあげているのに、ママはどうすることもできずに――

グサッ。

男は目玉をまわして白目をむき、そのまま倒《たお》れこんだ。男の後頭部からフォークが突《つ》き出ている。

トルナックが店の反対側からフォークを投げつけたのだ。

サロスと最後の手下のひとりは、丸腰《まるごし》となったトルナックをはさみ撃《う》ちにしてい

た。だがふたりが近づく間もなく、トルナックは手下の腹にテーブルを蹴《け》りつけ、男がよろけたすきに飛び乗って頭を床《ゆか》にたたきつけた。

サロスは悪態を吐《つ》いて出口のドアへと走っていく。途中《とちゅう》で振《ふ》り返り、光る水晶《すいしょう》の粒《つぶ》をひとにぎり、トルナックに向かって投げつけた。

トルナックがふたたび言葉を発すると、水晶《すいしょう》は空中で向きを変え、暖炉《だんろ》の炎《ほのお》へと飛んでいった。ポンポン！　と音が大きく響《ひび》き、石の暖炉《だんろ》のなかで残り火が噴水《ふんすい》のように噴《ふ》きあがった。

サロスが出口に着く前に、トルナックが追いついた。上着をうしろからつかむと、すさまじい力でサロスを頭上まで持ちあげ、木の床板《ゆかいた》にたたきつけた。

サロスは苦痛にうめき、不自然な方向にまがった左ひじを押《お》さえている。

「エッシー」母親が声をかける。「わたしのうしろにいなさい」

エッシーは素直にしたがった。

トルナックがサロスの胸を足で押《お》さえつけると、わずかに残っていた客はそのそばからあとずさっていった。「さあ、悪党め」トルナックは語気を強めた。「石をどこで見つけた？」

父親がカウンターを離《はな》れ、母親とエッシーのところへよろよろと歩いてきた。たがいになにもいわないまま、母親は片手で父親を抱《だ》き、父親も同じように母親を抱《だ》きしめた。

サロスの口から笑い声があふれ出た。その半狂乱《はんきょうらん》の声を聞いて、エッシーは製粉所のそばの橋の下に住むウェアリックという狂人《きょうじん》を思い出した。サロスはとがった歯をひとなめしていった。「自分がなにを探してるのか知らねえようだな、流れ者め。頭がとっ散らかって、鼻が効かねえんだ。寝《ね》た子を起こせば、あんたもおれも――みんなアリ同然に踏《ふ》みつぶされちまうんだぜ」

「石は――」トルナックは食いしばった歯のすきまからいった。「どこにあった？」

サロスの声がさらに甲高《かんだか》くなり、狂気《きょうき》じみた声が夜の空気をつんざいた。「わからんやつだな。〈ドリーマー〉だ！〈ドリーマー〉ってやつらだ！人の頭に入って、思考をねじまげるやつらさ。ああ、そうさ！ねじまげて、ポッキリ折っちまうんだ」サロスはかかとで床《ゆか》をドンドンと打ちつけた。口のはしから黄色い泡《あわ》が噴《ふ》き出してくる。「やつらがあんたのところにやってくるぜ、流れ者よ、そのときになればわかるさ。やつらは……」その声はだんだんか細く、しゃがれていき、最後にびくっと体を引きつらせたまま、サロスは動かなくなった。

しばらくのあいだ、店内のだれもが身じろぎもしなかった。

すべての視線が一身にそそがれるなか、トルナックはサロスの首から魔除け《アミュレット》をむしり取り、マントを拾いあげ、暖炉《だんろ》のそばのテーブルへもどっていった。内なる光を放つ石をポケットにしまい、金貨の入った巾着《きんちゃく》をつかむと、そこで考えこむように手をとめた。

やがてトルナックは巾着《きんちゃく》を手の上ではずませながら、エッシーを守って立つ両親のところへ歩いていった。

「どうか……」父親がいった。父親のそんな必死な声は聞くのは初めてだったので、エッシーは胃にむかつくような痛みを感じた。なにより、おびえる父を目の当りにして、世の中は自分が思っていたよりずっと恐《おそ》ろしいということに気づかされた。自分たちの家はいつも安全な場所に思えたけど、もはやそうではない。剣《けん》を前にしたとき、そしてもちろん魔法《まほう》を前にしたとき、パパにもママにも守ってはもらえないんだ。

「騒《さわ》ぎになって申しわけない」トルナックは汗《あせ》のにおいがして、亜麻布《あまぬの》のシャツの胸のあたりに血が飛び散っているのに、さっきまでの落ち着いたようすにもどっていた。「どうかこれをあとしまつ代に」トルナックが巾着《きんちゃく》を差し出すと、父親はすこしためらってから受け取った。

父親は唇《くちびる》をなめた。「すぐに警護兵がやってきます。裏口から出れば……彼《かれ》らに見つからずに町の門までたどり着けるでしょう」

トルナックはうなずいた。そして膝《ひざ》をつき、そばに倒《たお》れている悪党の頭からフォークを抜《ぬ》きとった。トルナックがまっすぐこちらを見たので、エッシーはたじろいだ。

「ときには」トルナックが話しかける。「立ち向かって戦わねばならないこともある。ときには、逃《に》げるのが最善の選択肢《せんたくし》じゃないこともある。これでわかっただろ？」

「うん」エッシーはそっとこたえた。

トルナックはエッシーの両親に視線をうつした。「最後にひとつききたいことが。この店は、石工《いしく》衆のひいきがなくなったら商売できなくなるだろうか？」

亭主《ていしゅ》はとまどって眉根《まゆね》を寄せた。「いえ。そんなことはないでしょうが、でもなぜ？」

「いや、そうだろうと思ってね」といって、トルナックはエッシーにフォークを差し出した。フォークはぴかぴかで、血の一滴《いってき》もついていないようだ。「プレゼントだ。折れないように魔法《まほう》をかけてある。もしまたヒョーディスになにかされたら、これで思いきりつついてやるといい。二度ときみに手を出さなくなる」

「エッシー」母親がたしなめるように低く声をかける。

でもエッシーの心はもう決まっていた。トルナックのいうとおり。逃《に》げるのが必ずしも最善の選択肢《せんたくし》とはかぎらない。でも、決心の理由はそれだけではなかった。家はどこよりも安全かもしれないけれど、パパとママをたよるばかりでは危険は避《さ》けられない。乱闘騒《らんとうさわ》ぎでそれがよくわかった。たったひとつ、本当にすべきことは、自分と家族をどうやって守るか考えることなのだ。

エッシーはフォークを受け取った。「ありがとう」と神妙《しんみょう》な声でいう。

「すぐれた武器には名前があるものだ」トルナックはいった。「魔力《まりょく》を持つものはとくに。どんな名前にする？」

エッシーはすこし考えてからこたえた。「突き刺《スタブ》すフォークだから、ミスター・スタビー」

トルナックは満面に笑みを浮《う》かべた。その表情から暗い影《かげ》のようなものはすっかり消えている。大きな声で笑いながらいった。「ミスター・スタビーか、いいね。ぴったりだよ。スタビーがいつもきみに幸運をもたらしますように」

エッシーも笑顔になった。世の中は広くて恐《おそ》ろしいけれど、自分にはいまや魔法《まほう》の武器がある。ミスター・スタビーがいる！　これでヒョーディスをつついてやったら、カースも許してくれるだろう。ヒョーディスのカンカンに怒《おこ》った顔が目に浮《う》か

ぶ……。

ふいに、母親がたずねた。「ところで……あなたはどなたなんですか？」

「ただ、こたえを探しているだけの男ですよ」トルナックはいった。これで行ってしまうんだ、とエッシーが思ったとき、おどろいたことに、トルナックは彼女《かのじょ》の腕《うで》に手をあてた。聞いたことのない言葉を彼《かれ》がとなえると、まるで骨にくっついた弦《げん》がつまびかれているかのように、エッシーは体の奥深《おくふか》いところでそれらの言葉を感じた。

「娘《むすめ》にさわるな！」父親がそういってエッシーを引き離《はな》したが、そのときはもう、トルナックは背中のマントを黒い翼《つばさ》のようにひるがえし、そこを離《はな》れていた。足音が裏口から消えてゆくと、母親と父親ふたりとも、エッシーの頭や腕《うで》をさわりまくって異常がないか確かめた。「どこか痛くない？」母親はいった。「あの人、あなたになにをしたの？　もしかして――」

「なんでもなかったよ」自分でも確信が持てないまま、エッシーはこたえた。「うん、なにも……アッ！」左の腕《うで》に、ヒリヒリと焼けつくような感覚が走り、痛みに声をあげた。まるで何百匹《びき》ものアリにかまれているような痛みだ。

袖口《そでぐち》をひっつかんでまくりあげると――

――前腕《ぜんわん》の表面がひとりでに這《は》うように動いている。しわの寄った長い傷痕《きずあと》がなめ

らかにのび、ふつうの健康な皮膚《ひふ》にもどっていく。傷痕《きずあと》はどんどん縮んで、やがて赤い小さなSの形だけになった。でも、それは完全には消えなかった。過去の痛みの記《き》憶《おく》、乗り越《こ》えた記念かなにかのように。

　エッシーは信じられない思いで腕《うで》を見つめた。新しい皮膚《ひふ》に手を触《ふ》れ、それから両親を見た。頬《ほほ》を涙《なみだ》がつたうのをこらえようとはしなかった。

「ああ、エッシー」感極まったパパは声をつまらせた。そしてパパとママは、エッシーをあたたかく抱《だ》きしめた。

＊＊＊

〈フルサム・フィースト〉の外に出ると、マータグは顔をあげ、夜の空気を思いきり吸いこんだ。あたりにはやわらかい雪の花弁が舞《ま》い、何層もの低い雲におおわれた町は、すべてが動きをとめ静まり返っているようだ。

　心臓が激しく打っていた。乱闘《らんとう》の余韻《よいん》がまだおさまっていない。バカだな。金貨を

出しすぎれば問題が起きることは、推して知るべしだった。こんなまちがいは二度とおかさない。

最後に人を手にかけたのはいつだったろう？　一年以上前になるか。あの夜、野宿の場にもどろうとしていたとき、ふたりの山賊《さんぞく》が襲《おそ》ってきた——マータグを倒《たお》せる見《み》込《こ》みなどまったくない、愚《おろ》かで無知な輩《やから》だった。反射的に反撃《はんげき》し、なにが起きたか気づいたとき、不運なふたりはすでに地面にころがっていた。若者のひとりが死にぎわにもらしたすすり泣きの声が、いまだに忘れられない……。

マータグは顔をしかめた。人を殺すことなどなく一生を終える人もいる。そうした人生はどんなものなのだろうと、つい考えてしまう。

手の甲《こう》に、自分のものではない血がついていた。嫌悪感《けんおかん》をおぼえ、マータグはそれを建物の壁《かべ》にこすりつけた。木のとげが刺《さ》さっても、血のりよりは気にならなかった。

サロスから土地の名は聞き出せなかったものの、探している場所が存在するということだけは、いまあきらかになった。その事実が、マータグを不安な気持ちにさせた。落胆《らくたん》で終わったほうが、よほどマシだっただろう。黒焦《くろこ》げの地の下に隠《かく》された真実がなんであれ、それが好ましいことや楽しいことの到来《とうらい》を告げるとは思えない。人

生はそんなに単純ではない。それに、サロスのいっていた〈ドリーマー〉とはいったいどんな連中なのか？　謎《なぞ》は尽《つ》きない……。

シュノンの町の外から、探るような意識が伝わってきた――ソーンが安否を気づかっているのだ。

〈ぼくは大丈夫《だいじょうぶ》だ〉マータグはこたえた。〈ちょっともめ事があっただけさ〉

〈わたしもそこへ行こうか？〉

〈いや、来なくていい。でも、いちおう待機していてくれ〉

〈もちろん〉

ソーンの意識は警戒心《けいかいしん》を強くしたまま去っていったが、マータグはつねにふたりを結びつけている強い糸の存在を感じた。彼《かれ》らの人生のなかで不変の、心地よい親近感だ。

マータグは路地を歩きだした。もう行かなくては。ほどなく町の警護兵が、酒場の騒《さわ》ぎを調べにやってくるだろう。長居は禁物だ。

ふと、上空でちらりとなにかが揺《ゆ》らめくのに気づいた。

マータグは立ちどまって目をこらした。それがなんなのか、すぐにはわからなかった。

あかね色の雲の下からすうっと降りてくるのは、長さが手のひとつかふたつぶんの、小さな草の船だった。船体や帆《ほ》は草の葉で織られていて、帆柱《ほばしら》や円材は茎《くき》でつくられている。

乗組員は――もしいたとしても、とても小さいだろうが――見あたらない。草の船は見えない力に駆《か》られ、ささえられ、みずから動いている。船が頭上を二度旋回《せんかい》するあいだ、小さな見張り台の上に、同じく小さな三角旗が揺《ゆ》れているのが見えた。

やがて草の船は西に向きを変えると、なんの跡形《あとかた》も残さず、舞《ま》い落ちる雪のベールの奥《おく》へ消えていった。

マータグは微笑《ほほえ》んだ。笑みをこらえられなかった。あの船をだれがなんの意図でつくったのか知るよしもないが、あのように風変わりな、奇異《きい》なものが存在するという事実だけで、いつにないよろこびを感じられたのだ。

マータグはあの少女、エッシーにいった言葉を思い返した。その忠告を自分が聞くべきなのかもしれない。逃《に》げるのはやめて、旧友たちのもとへもどるときなのかもしれない。

しかしそう考えると、あれこれと相反する感情がこみあげてくる。どこへ行っても、人々がマータグの名を口にするとき、そこに敵意がこもっているのがわかる。エラゴンやナスアダがおおやけの場でどれほど熱心に弁護したとしても、ガルバトリックスに仕えていたマータグのことを信用してくれる人は、まずいないだろう。苦々《にがにが》しく、不当な事実だ——そもそも、生まれついたときから、受け入れることを強いられていた事実だ。

そういうわけで、マータグは顔を隠《かく》し、名前を変え、人々の定住地のはずれを移動し、彼《かれ》を知る人の住む場所を避《さ》けて歩いてきた。時間だけが彼《かれ》とソーンのなぐさめという日々だったが、残りの人生をずっとそうやって生きていくことはできない。

だからいままた、ふり返り、過去と向き合うべきときがきたのではないかと思うのだ。

だがその前に……マータグは手ににぎったものを見おろした——サロスの首からうばってきた鳥の頭蓋骨《ずがいこつ》の魔除け《アミュレット》だ。

〈古代語の真の名〉を使ったのに効かないとは、どれほど強い魔法《まほう》がかけられているのか？　言葉を持たない呪文《じゅもん》は危険であつかいにくい。どんな勇者だろうと愚《おろ》か者だろうと、そこに手をつけようとする魔術師《まじゅつし》はめったにいない。マータグ自身、罪のない大勢の傍観者《ぼうかんしゃ》がいる〈フルサム・フィースト〉では、とても使うことができなかった。

そうだ、なによりも先に――マータグは決意した――ベイチェルという魔女《まじょ》を見つけて、いくつかたずねてみることにしよう。おそらく興味深いこたえを聞き出せるだろう。

第三章　色彩《しきさい》の間《ま》

エラゴンがわれに返ったときはもう夜で、色彩《しきさい》の間《ま》を照らすのは、壁《かべ》の炎《ほのお》のないランタンと、〈エルドゥナリ〉たちの内なる輝《かがや》きだけだった。

エラゴンはすわって床《ゆか》を見つめたまま、自分を取りもどし、頭を覚醒《かくせい》させた。その顔に笑みが広がった。マータグ！　ガルバトリックスの死後、ウルベーン（いまは旧名イリレアにもどっている）の城外で別れて以来、異母兄弟のマータグからはいっさい音沙汰《おとさた》がなかった。アラゲイジアのあちこちで赤いドラゴンが飛ぶのを見たとの噂《うわさ》はあったが、それだけがマータグがいまも生きているという手がかりだった。無事でいると――少なくとも以前より元気そうだとわかったことはなによりだ。マータグは幸せになる資格がある、とエラゴンは思った。

ふと、マータグの探し物と魔女《まじょ》ベイチェルの問題に、思いをめぐらせた。どちらも気がかりなことだ。アラゲイジアと民について、まだ知らないことが多いと思い知らされる。無知という欠点はもはやエラゴンには許されるものではない。サフィラとふたりで守ると誓《ちか》った大切な者たちにとって、その欠点は致命《ちめい》的なものになり得るのだから。

マータグには、くれぐれも用心してほしいと願う。どこへ行こうと、危険がともなうのはまちがいないのだ。マータグはとても有能だが不死身ではない。だれもがそうであるように。

マータグがエッシーにあたえた忠告が、いままたエラゴンの耳に聞こえてきた——「ときには、立ち向かって戦わねばならないこともある。ときには、逃《に》げるのが最善の選択肢《せんたくし》じゃないこともある」エラゴンはそこで気づいた。ドラゴンたちがなぜあの映像を自分に見せたのかを。

エラゴンはふたたび笑顔になり、ふうっと息を吐《は》いた。エッシーのような少女が人生の困難にしっかりと足を踏《ふ》ん張って立ち向かうなら、自分にもできる——四の五のいわず、いさぎよく。なにしろ、自分はドラゴンライダーだ。そうするのがあたりまえなのだ。

それに、自分が格闘《かくとう》している問題はどれも、いじわるなヒョーディスとくらべれば、たいして不愉快《ふゆかい》でも手ごわくもない。エラゴンはクスッと笑ってかぶりを振《ふ》った。自分の取り組むべき問題が、あのわがまま娘《むすめ》のことじゃなくてよかった。

〔役に立てたかね？〕グレイダーが問いかけてきた。

エラゴンは、グレイダーには見えないと知りつつうなずいて、立ちあがり、こわばった足を伸《の》ばした。〔ええ、とても。感謝します、エブリシル（師匠《ししょう》）……みなさん、ありがとう〕

それにこたえる意識がコーラスのように返ってきた。〔気にするでない、若者よ〕ドラゴンたちはいつの日か、エラゴンのことを未熟な若造とは見なさなくなるだろうが、今日はまだその日ではなさそうだ。エラゴンは苦笑いをして、いとまを告げ、要塞《ようさい》のいちばん上にある部屋へと階段をのぼりだした。

外では、冷たい星がアーンゴール山と下の地表を照らしていた。その情景は、マータグが見た草の船を思い出させた——野営地で過ごしたあの夜、たき火のそばで、アーリアが草でつくったあの船だ。あれは、アーリアが、帝国《ていこく》から徒歩で脱出《だっしゅつ》するエラゴンを助けにきてくれたときだった。闇《やみ》のなかからたくさんの荒々《あらあら》しい光の珠《たま》の霊《れい》魂《こん》が現れた晩だ。霊魂《れいこん》はユリの花を、生きた黄金の花に変えて去っていったのだっ

た。

　あのとき、アーリアは草の船が永遠に空中をただよい、緑色のみずみずしいままでいられるように、地上の植物からエネルギーを吸収する魔法《まほう》をかけた。あの船がいまも風の波に乗って、アラゲイジアの空を航海しているのを知って、エラゴンはうれしくなった。航海のあいだ、船はいったいなにを見てきたのだろうか？　それもまた、山ほどある謎《なぞ》のひとつにすぎないことだ。

　サフィラは寝床《ねどこ》でまるくなって待っていた。エラゴンは着がえると、目をあけたサフィラの翼《つばさ》のわきにもぐりこんだ。〈それで？〉サフィラがたずねる。

「おまえのいうとおりだ」エラゴンはこたえ、あたたかいサフィラの腹に身を寄せた。「休息が必要だったよ」

　サフィラの胸の奥《おく》で低いハミングが響《ひび》く。〈不機嫌《ふきげん》なキツネみたいにかみついてこなければ、あなたはとっても感じがいい〉

　エラゴンは笑った。「たしかにね」そして、〈エルドゥナリ〉に見せられた映像をサフィラにも見せた。

　その後、サフィラはいった。〈マータグとソーンもここに住んでくれるとうれしい〉

「ぼくもだよ」

〈アラゲイジアにあらたな敵がいるのだろうか？〉

「さあね。もしいるとしても、たくさんのなかにひとつくわわるだけのことさ。心配はしないよ」

〈そう……〉サフィラは深く息を吸うと、翼《つばさ》の位置をずらして寝返《ねがえ》りを打った。〈今夜はもう心配ごとはおしまい。あしたの朝考えればいい〉

「もう心配ごとは終わり」エラゴンは笑顔でうなずいた。目を閉じ、サフィラにぴったり寄りそうと、アーンゴール山にきて以来初めて、悩《なや》みごとを忘れ、不安も邪魔《じゃま》するものもなくぐっすりと眠《ねむ》った。

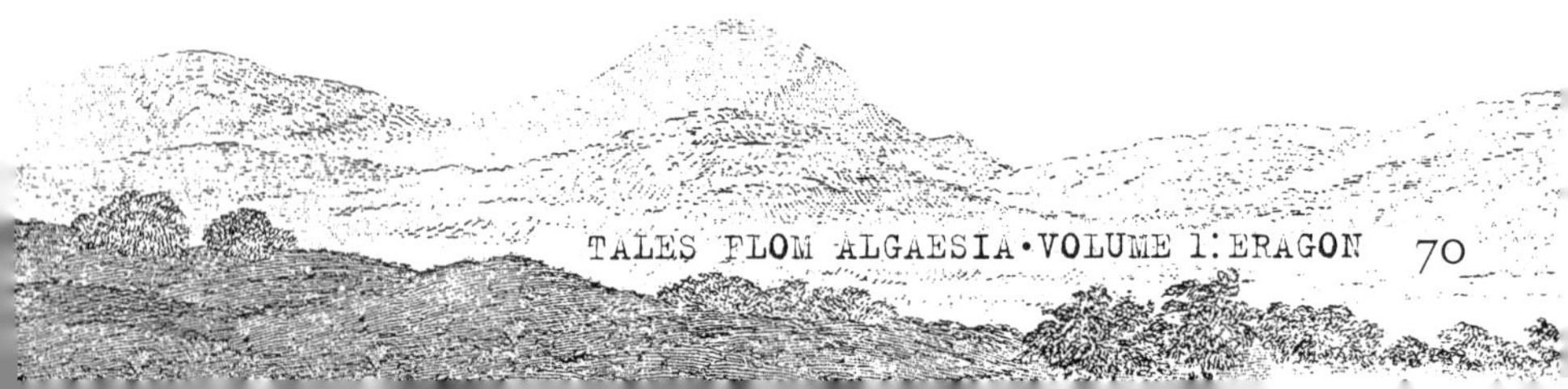

PART
2
魔女《まじょ》

第四章　韻《いん》となぞなぞ

エラゴンは机の向こうから薬草師のアンジェラをまじまじと見つめた。

アンジェラは、毛皮と旅行用のマントを着たまま黒っぽいマツ材の椅子《いす》に腰《こし》かけている。椅子《いす》は、エルフたちがエラゴンのために歌い、魔法《まほう》の力でつくりだしたものだ。アンジェラのマントはウサギの毛で縁《ふち》どられている。毛に宿った旅路の雪がようやく解けて雫《しずく》となり、ランタンの光を受けてビーズのように輝《かがや》いている。

アンジェラの隣《となり》では、魔法《まほう》ネコのソレムバンが、いかにもネコらしい体勢で寝《ね》そべって毛づくろいをしている。部屋は静かで、ぼさぼさの毛をなめるネコの舌の音が聞こえた。

高い岩の上にあるエラゴンの部屋の窓は開いているが、吹雪《ふぶき》で外の景色は見えなかった。吹《ふ》きあれる雪は窓の敷居《しきい》にうっすら積もっているものの、おおかたの雪と寒さはエラゴンが張りめぐらしたバリアによってふせがれていた。

二日前からアーンゴール山に居座っている嵐《あらし》は、いっこうに去る気配がない。それに、これがこの冬最初の吹雪《ふぶき》というわけでもなかった。東の平原の冬のきびしさは、エラゴンの予想をはるかに上回っていた。ビオア山脈がなんらかの形で天候に影響《えいきょう》しているのだろうかとエラゴンはいぶかしく思った。

魔女《まじょ》と魔法《まほう》ネコは、凍《こご》え疲《つか》れ果てたひどいありさまで最後に到着《とうちゃく》した旅商人の一団にまじって要塞《ようさい》にやってきた。エルヴァもいっしょだった。エラゴンが深く考えずに祝福したせいで、自己犠牲《ぎせい》の呪《のろ》いを背負って生きることになった悲劇の少女だ。エルヴァに会うたび、エラゴンは自責の念を感じていた。

エラゴンとアンジェラは、ドワーフたちと食事をとっているエルヴァを食堂に残して階上にあがった。エルヴァは最後に会ってからずいぶん成長し、いまでは十歳《さい》くらいに見えた。実年齢《ねんれい》より少なくとも六歳《さい》は上に見えるということになる。

アンジェラはようやく手袋《てぶくろ》をはずして膝《ひざ》の上で手を組み、エラゴンと視線を合わせた。

「さあ、かわいいドラゴンの赤ちゃんたちはどこ？　楽しみにしていたのよ」

「……」

「もしかして、まだ孵《かえ》ってないの？」

エラゴンは苦笑いをした。

「見てのとおり、ここも大事な部分は完成にはほど遠いし、家具や備品も不足している。賢者《けんじゃ》グレイダーもいっただろ？　『卵はすでに孵化《ふか》を百年待っている』って。もうひと冬くらい待てるだろう」

「たしかにそのとおりかもしれないけど、あんまりぐずぐずするのも考えものよ、アージェトラム（銀の手）。未来はそれをつかんだ者のもの、という言葉もある。ところで、サフィラはどう？」

「どうって？」

「卵を産んだのかってことよ」

エラゴンは気まずくて目をそらした。サフィラはまだ卵を産んでいなかった。が、それを認めるのもなんとなくいやだった。サフィラの問題に立ち入ってほしくなかった。

「そんなに気になるなら自分できいてみたらどう？」エラゴンはいった。

アンジェラは、つんとあごをあげた。

「あら、なにかまずいことでもきいた？　いいわ、それなら自分できくから」

「ところで、こんな真冬に、なにをしに来たの？」

アンジェラはそれにはこたえず、黙《だま》ってマントから小さな銅のフラスコを取り出し、中味をすこし口にふくんだ。それから、どうぞとエラゴンにフラスコを差し出した。

エラゴンは首をふってことわった。

「ちょっと、キングスレイヤー（王をたおした者）、いったいどうしたの？　久しぶりに会ったのに、ちっともうれしそうじゃないのね」

「きみのことは、いつだって歓迎《かんげい》するけど」エラゴンは慎重《しんちょう》に言葉を選んだ。むらっ気の魔女《まじょ》を怒《おこ》らせることだけは避《さ》けたい。「この時期にわざわざ平原を横断するなんてふつうじゃない。旅の目的に興味をもっただけさ」

「ティールムで初めて会ってからずいぶんになるわね」アンジェラはそうつぶやき、それからしっかりした声でいった。「来た理由はふたつ。ひとつは、エルヴァといっしょだから。エルヴァとあたしは、しばらくアラゲイジアの人間どもから距離《きょり》を置くのもよさそうだと思って。ナスアダが目をかけている〈魔術師の会《ドゥ・ヴラングル・ガータ》〉の連中のおかげ

で、あたしみたいな人畜無害《じんちくむがい》で天真爛漫《てんしんらんまん》な三流魔女《まじょ》には風向きが悪かったし」

「人畜無害《じんちくむがい》で天真爛漫《てんしんらんまん》？」エラゴンはあきれて眉《まゆ》をつりあげた。

　アンジェラはにやりとした。

「ま、無害ではないかも。ともかく、エルヴァとふたりでドゥ・ウェルデンヴァーデンに行ったのよ。〈マニの洞窟《どうくつ》〉の夢の井戸にも。トロンジヒームにも寄った。次はフェル・シンダリ（夜の山）かなと思ってね。それに……」アンジェラはマントの縁《ふち》をいじった。「エルヴァなら、あんたがドラゴンの〈心の核《エルドゥナリ》〉を癒《いや》すとき助けになるかもしれないとも思ったから」

　エラゴンはアンジェラが口にしていないことまで察してうなずいた。

「たしかにエルヴァなら助けになるかもしれない。さらに、助けることでエルヴァもなにかを学べるかもしれない」

「まったくそのとおりよ」アンジェラは思いがけなく強い調子でエラゴンに同意した。エラゴンと目を合わせず、フードの縁《ふち》の毛皮についた雫《しずく》を払《はら》いながら、アンジェラはまたいった。「まったくそのとおり」

　エラゴンの心の深いところに懸念《けねん》が浮《う》かんだ。スパイン山脈でサフィラの卵を発見してからもうずいぶん時が流れたが、あれ以来出会ってきたすべての生きとし生けるもののなかで、エルヴァはおそらくもっとも危険な存在だ。

未熟な自分が授けた軽卒な祝福によって、エルヴァは人間以上の存在になること――周囲の人々の苦悩《くのう》の盾《たて》となること――を余儀《よぎ》なくされた。ドラゴンライダーによる祝福の結果として、エルヴァは予知力も与《あた》えられ、人々を待ち受ける苦痛を先んじてわが身で受けとめるようになったのだ。身近にある痛切な思いをすべて察知してしまう。予知の力とは、おとなでも怖《お》じ気づくような恐《おそ》ろしいものだ。子どもがそのような重荷を背負うとは……それを思うと、エラゴンは言葉もなかった。

そうした一種の呪《のろ》いにもかかわらずエルヴァが正気を保っていることに、エラゴンはいつも驚嘆《きょうたん》を禁じえなかった。だがエルヴァはまだ幼《おさな》く、それだけにリスクはある。

「アンジェラ、なにか隠《かく》してるね？」エラゴンは探るような目で身を乗り出した。

「エルヴァにまずいことでも？」

「まずいこと？」薬草師は屈託《くったく》なく笑った。「とんでもない。シェイドスレイヤー（シェイドをたおした者）、あんた、疑り深すぎよ」

「そうかな……」エラゴンは納得していなかった。

ソレムバンは相変わらずぼさぼさの毛をなめている。

アンジェラはマントの下から、油紙に包まれた薄《うす》い平らなものを取り出した。

「ここに来たもうひとつの理由はこれ」といって、エラゴンにその包みを手わたした。「ぼけないうちにペンを取って自分の人生を書き記してみようと思って。ま、自伝ってところ」

「ぼけないうちに?」

巻き毛のアンジェラは、せいぜい二十代前半にしか見えなかった。

エラゴンは包みを持ちあげた。

「それで、これをぼくにどうしろと?」

「もちろん読んでよ」とアンジェラ。「アラゲイジアの端《はし》から端《はし》まで足を棒にして旅してきたのは、無学の農民として育った人の見識ある意見を聞くためなんだから」

エラゴンはしばしアンジェラを見つめていたが、やっといった。

「……おもしろいことをいってくれるね」

包みを解くと、ルーン文字がびっしり書きこまれた薄《うす》い紙の束が出てきた。一枚ごとにちがう色のインクで書かれている。めくってみると、いくつかの章のタイトルが目に入った。章番号はつづいていないどころか、かなり大きく飛んでいる。

「ページの抜《ぬ》けがあるな」エラゴンはいった。

アンジェラは、この世に順番どおりのものなんてないでしょというように手をひらひらさせた。

「思いついた順に書いているから。あたしの脳がそうなっているのよ」

エラゴンはページをちらっと見ながらいった。

「でも、どうしてわかるの？　いま書いているのは一二五章で、ほら、一二三章ではないとか」

「あたしは神々を信じてるから、神々もあたしの献身《けんしん》に報いてくれる」アンジェラは得意げな顔をした。

「きみが？　嘘《うそ》だろう」エラゴンは、剣《けん》の稽古《けいこ》で優位に立ったときのように前のめりになった。「自分以外のだれも信じていないくせに」

アンジェラは怒《おこ》った顔をした。「まさかシャートゥガル（ドラゴンライダー）、あんた、あたしの信仰《しんこう》をうたがうの？」

「とんでもない。言葉の真意を探っただけだよ。きみのいう神々とは、ドワーフの神々？　それともアーガルの？　それとも流浪《るろう》の民が信じる神々のこと？」

アンジェラは満面の笑みを見せた。

「もちろんその全部。あたしの信仰《しんこう》は、どれかの神々しか信じないほど偏狭《へんきょう》じゃない

から」

「でもそれは……かなり矛盾《むじゅん》があるな」

「ねえ、ブロムの息子、前にもいったけど、あんた、融通《ゆうずう》が利かなすぎよ。なにが可能でなにが不可能かの概念《がいねん》をもっと広げないと」アンジェラはムカつくほど楽しげにこっちを見ている。

「それはたしかにきみのいうとおりかもしれない」エラゴンはとりあえずアンジェラを持ちあげてからいった。「だとしても、神々がこれらを書いたわけじゃないだろう」

「そうよ、書いたのはあたし！　さあ、こういう神学談義も楽しいけど、そんなことのために来たわけじゃない。あんた、ドワーフがつくる〝知恵《ちえ》の輪〟みたいな指輪を知っている？」

　エラゴンは、トロンジヒームからエルフ王国の首都エレズメーラへ行く旅のあいだにオリクがくれたものを思い出して、うなずいた。

「ならわかるでしょ。ほら、ばらばらのときは、ねじれた輪っかの寄せ集めに見えるのに、正しい順に組み合わせると、あらあら不思議、しっかりきれいに組まれた指輪の出来上がり！」

　アンジェラは、エラゴンが手にした原稿《げんこう》の束を指さした。

「寄せ集めと見るか、きれいに組まれていると見るかは、読む人の考え方しだい」

「きみはどんな考えでこれを書いたの？」エラゴンはおだやかにたずねた。

「ドワーフの〝知恵《ちえ》の輪〟づくりの名人になったつもりで書いた」アンジェラもおだやかにこたえた。

「ぼくはまた……」

「さあ、もう質問はやめて原稿《げんこう》を読んでよ」アンジェラは手袋《てぶくろ》をひろって椅子《いす》から立ちあがった。

「つづきはあとで話しましょ」

そういって薬草師が出ていってしまうと、魔法《まほう》ネコのソレムバンは毛づくろいをやめ、目を細くあけてエラゴンをにらんでいった。

〔ヒトよ、歩く影《かげ》に気をつけろ。この世には奇妙《きみょう》な力が働いている〕

それから魔法《まほう》ネコは足音を立てずに去っていった。

魔女《まじょ》の身勝手ないい草にいらだち、魔法《まほう》ネコの言葉に不吉《ふきつ》なものを感じながらも、エラゴンは椅子《いす》にすわってアンジェラの書いたものを読みはじめた。わざとでたらめな順番で読んでやろうかとも思ったが、気持ちをおさえ、番号の若いほうから順に読みはじめた……。

第五章　星の性質について

序文

みんな、あたしを軽薄《けいはく》な人間だと思っている。たしかにあたしにはそういうところがある。あたしは若い頃《ころ》（そうよ、読者諸君、あたしもかつては若かったの）、他人に本当の自分を見せるというあやまちをおかした。若気の至りで、いやというほどあやまちをくりかえした。

あたしのことをあれこれ詮索《せんさく》したり、この魂《たましい》をじっくり味わったりしたい？　おことわり。あたしはもう行儀《ぎょうぎ》の悪い子どもじゃない。

いまではめったにあやまちをおかさないし、くりかえしもしない。薬草師のあ

やまちは、血と肉と命にかかわる大きな代償《だいしょう》をともなう。

だからもうあやまちはおかさない。

ここに書いた話はすべてが真実で、一つひとつが嘘《うそ》でもある。相反する歴史と記憶《きおく》、事実と嘘《うそ》のこんがらがった糸を解きほぐす役は、見識ある読者におまかせするわ。いっておきたいのは、これを書くにあたって、あたしは細心の注意を払《はら》ったということ。もっともよく知られた出来事について正確に記すようにね。よく知られた出来事というのは、いちばんひどく誤解されているものだし、じつは詳細《しょうさい》がよく伝わっていないものだから。

真実が、ふたつの対立する視点のちょうど中間地点にあることはめったにない。あたしの経験では、真実は往々《おうおう》にして「あきらかな真実とされているもの」のはるか上空や、かなり左のほうにあったりする。人間界のあれこれからいったん目をはなして空を見あげれば、頭上を飛ぶドラゴンが目に入るでしょ。少なくとも空は見えるはず。つまり、しっかり目を見開いて学べば、嵐《あらし》が来る前に避難《ひなん》はできるってこと。

どこまでが真実か深く掘《ほ》りさげてみろと忠告する人もたくさんいるだろうけど、それはしないほうがいい。あたしはすでにさんざん掘《ほ》りさげて土の下にあるものを見てきたから。最悪の人間にだって、あたしが見たひどいものを見るような目にあわせたくはないの。

賢《かしこ》き道を進みなさい！　あるいは、なるべく愚《おろ》かなまねをしないこと。

――いくつもの名を持つアンジェラ

第7章　星は夜空を横切る

子どもの頃《ころ》、星々が夜空を横切っていくことはあきらかな真実で、わざわざ考える価値のないことだった。たとえば、太陽が昇《のぼ》ることや季節が移ろうのと同じように。

丘《おか》の上の牧草地で仰向《あおむ》けになって、天体のショーに目を丸くして過ごした夜のことを鮮明《せんめい》に思い出せる。町の家々の煙《けむり》や捜索隊《そうさくたい》の松明《たいまつ》の光の届かない澄《す》んだ夜空一面に、明るい星々が冷たい光を放っていた。

星々は、大地のはるか上空に伸《の》びている小径を毎晩たどる。動いているのだ。

それはあきらかだった。しかし、あきらかなことはしばしば幻想《げんそう》である。

星が輝《かがや》く空を背景に、芽吹《めぶ》いた草や晩春の花の姿が黒いシルエットになっていた。草は若い雌牛《めうし》の背より高く茂《しげ》っていた。寝転《ねころ》んでいると、穴の底から上を見あげているようだった。もしだれかがここに来ても、目と鼻の先にいるあたしを見つけられないはず。

時間が経つにつれ、星は空高くにのぼり、夜の冷気が体から熱をうばった。やがてあたしは、めったに経験できないトランス状態に入った。眠《ねむ》りとはちがって目を閉じることはできないけれど、かといってしっかり覚醒《かくせい》しているのともちがっていた。いま思えば、自然のプロセスがわが身に影響《えいきょう》を与《あた》えていたのはあきらかだが、何年ものあいだ、あたしにとっては神秘的な体験として残っていた。

世界ががらりと変わったのだ。

またたくまに、背中の下にある大地や、伸《の》ばした腕《うで》や地面に押《お》しあてた掌《てのひら》が触《ふ》れている湿《しめ》った土など、すべてが消えてしまったような気がした。あたしはなにもないところから、なにもないところへと落ちていた。体には重みがなく、まっさかさまに落ちているようでもあり、浮《う》いているようでもあった。じっさいには地面の上に寝転《ねころ》んだままだったが。時間の感じ方も変わった。星々が空を横切るスピードが増したように思えたが、突然《とつぜん》、動いているのは星々でなく自分なのだという感覚に見舞《みま》われた。地面も木々も山々も、すべてが動いていた。

あたしはそのときまだ「惑星《わくせい》」というものを知らなかったが、いまはそれが自分のいる場所をしめす正しい言葉だとわかっている。

あの日は、空が白みはじめても、時間の感覚がもどらなかった。日の出の最初の光が目に入ったのをきっかけに、あたしはやっとトランス状態を抜《ぬ》け出し、いつもの自分にもどった。とはいえ、自分をとりまく世界についてのそれまでの理解はがらりと変わってしまっていたし、避《さ》けられないトラブルに立ち向かう決意のようなものもかたまっていた。そのことは、その後すぐにはっきりした。

第23章

星々は静止している
惑星《わくせい》の自転が
星々が動くという幻想《げんそう》を生んでいる

〈地球儀《ぎ》〉は、ドワーフがつくった精巧《せいこう》なベアリングのおかげで、軽く指でつつくだけで音もなくなめらかに回転した。淡《あわ》く光る謎《なぞ》の金属の表面にこまかく地形を刻みこんだ球は、美しく輝《かがや》いていた。〈地球儀《ぎ》〉の上では、世界でいちばん変化の大きな地形でさえ、指の先に触《ふ》れる冷たい金属面の小さな凹凸《おうとつ》にすぎない。あたしはこれまでに多くの場所をおとずれてきたが、それらの場所は、あのとき不用意に〈地球儀《ぎ》〉の上でさわっていたのだ。

　初めて見たときから、あたしは〈地球儀《ぎ》〉の虜《とりこ》だった。何時間でも何日でも〈地球儀《ぎ》〉をながめていたい、見慣れた地図と比較《ひかく》して、球体の表面にある地形を平面の地図に写す方法を学びたいと切望していた。

　いまでこそ、〈地球儀《ぎ》〉なんてこの美しい惑星《わくせい》のひどく下手くそな模造品だとわかっている。それでも魅力《みりょく》ある芸術作品だったことには変わりない。あれをこわしてしまったことは後悔《こうかい》している。大きな金銭的価値があるわけではないにしても、芸術作品は保護されるべきだ。

　しかし、あのとき〈地球儀《ぎ》〉は、あたしの貴重な時間をうばうものでしかなかった。

時間は限られていた。〈図書館〉はすぐ〈変化〉してしまうかもしれない。ぐずぐずしていると、こちら側でもあちら側でもないほかの空間に取り残される可能性が増えていく。

〈図書館〉の内ドアと外ドアは、ある特別な時間だけぴたりと合わさって開くものだった。当時のあたしは、その時刻を割りだす高度な計算技術を身につけていなかった。この二重ドアの仕組みは、もっとも貴重な秘密を守るための精巧《せいこう》なシステムだった。しかしあたしは危険をかえりみず、真実への道の第一歩を踏《ふ》み出そうと決意した。

あたしの最大の恐怖《きょうふ》は、〈図書館〉と〈塔《とう》〉がつながっている時間に長居しすぎることではなかった。〈図書館〉であの男に見つかることのほうが心配だったのだ。

あの男――〈塔《とう》の番人〉は、あたしを見習いとして雇《やと》うとき、いろいろ教えてやると約束した。なのに出し惜《お》しみをして、ほんの数滴《てき》程度しか自分の知識を分けてくれなかった。それでは唇《くちびる》を濡《ぬ》らすのがせいぜいという感じだった。知識に飢《う》えていたあたしは、知識のプールに飛びこんで泳ぎ、溺《おぼ》れたいほどだったのに。

約束を反故《ほご》にされた反発と、正当な権利を求める気持ちが、あの男につかまるかもしれないという恐怖心《きょうふしん》を——ほんのわずかにだが——上回った。あたしはどうしても知りたかったのだ。うばわれてしまうかもしれない自由であっても、いまは貴重な自由がまだある。

〈塔《とう》の番人〉が不在のとき、〈図書館〉に入って弟子《でし》のころに習得した初歩的な本を一冊ずつ手にしていると、その場所は当時の記憶《きおく》よりはるかに広く感じられた。高い棚《たな》の上の彫刻《ちょうこく》たちが、視界のすみでかすかに動いているように見えたが、直視すると動いてはいなかった。

あたしは、それ以上気を散らさずに急いで探したのだが、なかなか見つからない焦《あせ》りのせいで、慎重《しんちょう》に準備した計画どおりには進まなかった。一冊一冊見ていった。無地の本、金箔《きんぱく》がほどこされた本、指一本分の厚さもない薄《うす》っぺらい本、片手ではつかめないほど大きな本、大きさの割にありえないほど重い本もあった。

カチッと音がした。

なんの変哲《へんてつ》もない学術書を持ち上げたとき、そばの本棚《ほんだな》の隠《かく》されていた引き出しがわずかに前に飛び出したのだ。予想外だけど大きな期待感で身震《みぶる》いした。おかげで、引き出しを押《お》しもどすとき、うっかり炎《ほのお》のないランタンをたおして台か

ら落としてしまった。

さいわいランタンはこわれなかった。

警報も鳴らなかった。

それでもあわてたあたしは、ランタンをもとの場所にもどすのに手間どり、貴重な時間を無駄《むだ》にしてしまった。無断侵入の証拠《しんにゅうしょうこ》を残したらまずいという焦《あせ》りが、つかまるリスクを上回ったのだ。

あのミスがなければ、じゅうぶんな時間があっただろうか？　そもそもあたしが途中《とちゅう》で〈地球儀《ぎ》〉に気をとられたりしていなければ、成功していた？　あるいはこの侵入《しんにゅう》は、あたしの経験不足から失敗すると最初から運命づけられていたのかもしれない。

砂漠《さばく》をさまよい渇《かわ》きに苦しむ者にとっては、世界じゅうの金をやるといわれても価値がない。通常の力がおよばない場所に迷いこんだ者にとって、宇宙の秘密になんの価値があるというのか？

そのとき〈図書館〉が〈変化〉した。それは、なんでもないようでもあり、すべてであるようにも思われた。〈図書館〉の見た目はまったく変わりなかったが、あたしは全身に痛みを感じた。宇宙をつくっている素材が突然《とつぜん》、まちがったものになったせいで。あたしは同じ場所にいながら、まったく別の場所にいた。

あたしは閉じこめられたのだ。

第125章

宇宙のすべては動いている
すべての動きは連動している

「問題は時間なのよ」

「いつだってそうよ」

あたしはうなずいた。エルヴァはいつも物事を潔いほど斜《なな》めから見た。かつてビルナという弟子《でし》のことで傷ついて以来、あたしは長いこと、だれかに教えることを考えるとぞっとしたものだ。しかし時が経つにつれて、エルヴァが弟子《でし》としてかなり有望だと考えるようになった。また、このまま導き手もなく成長したらエルヴァが将来どうなるかということもしょっちゅう考えるようになった。

城塞《じょうさい》都市イリレアにあるエルヴァの部屋の壁《かべ》や天井はたっぷりした布で覆《おお》われており、幾重《いくえ》にも広げられた絨毯《じゅうたん》で床《ゆか》は見えない。足を踏《ふ》みいれると、まるでテントか布製の獣《けもの》の腹のなかにいるようだった。たくさんの枕《まくら》でつくった巣の中心に鎮座《ちんざ》したエルヴァは、満足げな微笑《ほほえ》みを浮《う》かべ、視線であたしを威嚇《いかく》していた。前回訪問したときよりかなりやせて背が高くなっている。

「あたしが来た理由はわかっているんでしょ」あたしはいった。

「もちろん。例の〝陰謀《いんぼう》〟のことはあなたの耳にも入ったようね」エルヴァの言葉には毒があった。

あたしは重なりあった絨毯《じゅうたん》の上に、エルヴァと向かいあわせに腰《こし》を下ろした。

「ナスアダはもうあんたが街を歩くことを許可しないんだって？　城への立入りも禁じられているとか。いまやこの部屋だけがあんたの世界らしいじゃないか」

エルヴァがあたしを見る目には、あざけりに似たものが浮《う》かんだ。

「だれもわたしを投獄《とうごく》してはおけない。それはわかっているはず。わたしはこの部屋が好きだからここにいるだけで、いつでも好きなときに出歩けるわ」

「理屈《りくつ》はどうあれ、出先でつねに尾行《びこう》されるのは不愉快《ふゆかい》だろうね。ドゥ・ヴラングル・ガータの魔術師《まじゅつし》なら、あんたに気づかれずに――たとえば寝《ね》ているあい

だなんかにつかまえて――簡単に連れもどしてしまうだろうし」

「ふん、わかってないのね。いいからもう、さっさと出てってちょうだい」

エルヴァは手を振《ふ》り、あたしに背を向けた。

「聞くところによると――おおかた誇張《こちょう》もあるんだろうけど――エルヴァ、あんた、頭にきていくつかやらかしたらしいね。ナスアダがあんたを閉じこめたことは、責められないよ。だって、商談は何週間も止まるし、喧嘩《けんか》は起きるし、軍へ食糧《しょくりょう》を供給してるいちばんの大物がドワーフの礼拝堂を辱《はずかし》めるようなことをしたとか――」

「あの男はあそこで友人を待っていただけよ」

「服を着るのを忘れてたそうじゃないか」

「だれにでも起こりうることでしょ」

「エルフの大使を泣かせたというのは本当？　アーガルたちの前で？」

エルヴァは笑った。「あれはおもしろかった」

「あんたは周囲に自分の力を見せすぎた。いずれしっぺ返しがくるよ。あんたが望むなら、救いの手を出してもいいと思ってここに来たんだ」

エルヴァはただじっとこちらをにらんだ。これは、かなりいろいろな場面で使える賢《かしこ》い会話術だ。

　あたしはつづけた。

「だれにも知られずにここから出られるといったら、ついてくる？」

　エルヴァがあごを上げた。

「なぜ誘《さそ》うの？　そうすれば、エラゴンのためにわたしを監視《かんし》できるから？　わたしのこと、鎖《くさり》につながれた猛獣《もうじゅう》みたいにあつかうつもり？　連れていけば、あなたたちのつまらない計画にわたしを利用できるから？　わたしは短期間に多くを学んだわ。人は脆《もろ》いから、あちこちつつけばぼろぼろになることもわかっている。あなたの助けは必要ない」

「あら、もっと熱心に誘《さそ》ってもらいたいんだ、そうなんでしょ？」

　またしてもエルヴァは黙《だま》っていた。まばたきもせずにこちらを見つめるだけだ。

「よくわかったわ。エラゴンが他人の痛みを引き受けてしまうあんたの呪《のろ》いをとりのぞいたけど、それでもあんたの人生は望んだほどには良くならなかったのね。あんたはみずから羽根を広げて能力を試し、この世界に自分の居場所を見つけようとしている。でも、そうするたびにその場所には馴染《なじ》めず、ありのままに見られるしかないと思い知らされるのよ」

これは質問ではなく、あたしの意見表明だった。エルヴァの心を突《つ》き刺《さ》し、挑《ちょう》発《はつ》するための針といってもいい。

針の効果があった。エルヴァの顔はこわばり、目の奥《おく》で怒《いか》りの炎《ほのお》が小さな火花を散らした。

「みんな、手に入らないものをほしがるでしょ？　アンジェラ、あなただって」

「それはそうよ」

あたしは笑みを隠《かく》せなかった。それがエルヴァをさらに怒《おこ》らせたのはまちがいない。

「エルヴァ、あんたはたしかにゲームのルールを知ってる。けど、くわしいのは最初の一手だけ。あたしはあんたにいろいろ教えられる。あんたがここの暮らしにもどるまでは、安全も守ってあげられる。いい？　人生の広がりと深さは、いちばん年寄りのドラゴンやいちばん賢《かしこ》いエルフが知っていることより、もっと途《と》方《ほう》もないものなのよ。あたしは、だれよりも多くを見てきた。でもそれだって塵《ちり》のひとつにもならない。いちばん小さいものよりもっとちっぽけだわ」

エルヴァは唇《くちびる》を噛《か》んだ。一瞬《いっしゅん》ふつうの子どもに見えた。

これでよし。〝人生の広がりと深さ〟の理屈《りくつ》で説得できたわけではないが、どうやら最初の一歩にはなった。あたしの経験と力をエルヴァも認めた。さて、エルヴァが本当に望んでいるのは時間だ。

「他人の苦しみを受けとめてしまう力は、あたしには効かないようにしてある。だから、あたしといれば平穏《へいおん》な時間が持てるよ。あんたは、自分が何者でなにになりたいのかを考えるのに集中できる。そしてここにもどってくるときには、自分の人生の支配者になっているはず。もちろん、あたしのところにいるあいだは、それなりのけじめが必要よ。でも、あたしはあんたの呪《のろ》いの力がほしいわけじゃない。あんたをこわしたり、屈服《くっぷく》させたりする必要はない」

　あたしを見たエルヴァの顔には、抱《いだ》いてはいけない希望、深い苦渋《くじゅう》に毒されたかすかな希望の色があった。

「いうのは簡単よ」とエルヴァ。

「あたしが嘘《うそ》をついているとでも？」

「人の苦しみはわかるけど、人が嘘《うそ》をついているかどうかはわからない。知っているでしょ！」

「そう。ほかの人と同じように、不十分な情報だけで選ぶしかない。エルヴァ、あたしといっしょに来る？　よく考えなさい。この申し出は二度としない」

こんどはあたしが黙《だま》ってエルヴァを見つめる番だった。返事を待つ。

エルヴァはしかめっ面をしていた。ほかの子どもなら、癇癪《かんしゃく》を起こしそうな顔だが、エルヴァは相変わらずがまん強かった。

「わたしを連れ出すなんて、見張りの衛兵が許すと思う？　あの人たち、この二週間で二度も、わたしの誘拐《ゆうかい》を阻止《そし》したのよ」

ふだんは冷静で傲慢《ごうまん》な感じすらあるエルヴァの声が、怒《いか》りで裏返っている。

あたしも動揺《どうよう》を隠《かく》せなかった。

「そうだったのね。それなら一刻も早くここを発《た》たなければ！　危険なグループがあんたを武器として利用しようとしているのかもしれない」

「へえ、わたしを武器にするんだ！」

「いいたいことはわかる。そいつらは、あんたの力をわかっていない。わかっていると思いこんでいるだけ。だれだって、わかっているものはコントロールできると考える」

「わたしは、自分が何者でどんなことができるかを隠《かく》したりしない」

「隠《かく》すことには利があるんだ。あんたはすでに注目を集めすぎている」

「アンジェラ、あなたの計画がわかったわ！　衛兵の注意をわたしに引きつける

つもりでしょう。でも、それは無理。衛兵にわたしの力はおよばない。あの人たち、怖《こわ》がってわたしに近づかないから」

エルヴァの声には、誇《ほこ》りを傷つけられたくないという強い思いがにじんでいた。

「あんたを連れ出す気になれば、外の衛兵も分厚い壁《かべ》も関係ない」とあたしはいった。

エルヴァはふうんと鼻であしらった。

「さあエルヴァ、こたえて。いっしょに行きたい？」

「わたしがどうしたいかなんて、エラゴンがあの言葉を発したときから、だれも気にかけないでしょ」

「行きたいの？」

「どうするつもり？　透明《とうめい》人間にでもなるの？　衛兵の脳を腐《くさ》らせる？　床《ゆか》に穴をあけてトンネルを掘《ほ》る？　どれもうまくいくわけない」

「ただドアを開けて立ち去る。それだけ」

「へえ、そうなんだ」こんどのいい方には嫌味《いやみ》がこめられている。

あたしは立ちあがった。

「エルヴァ、これが最後よ。行くの？」

「わかった、行くわよ。行けばいいんでしょ！」

「じゃあ来て」

差し出したあたしの手を、エルヴァはとらなかった。

エルヴァはひとりで枕《まくら》の巣から這《は》い出てきて、こういった。

「行くけど、でもやっぱりあなたのいってることは信じられない。連中は、わたしをここから出さないためにあらゆる手を打っていたもの」

しかし、あたしの考えた方法は不可能ではないと思っていた。

エルヴァといっしょにやるべき仕事は山ほどあったが、あたしは不思議とそれが楽しみだった。エルヴァには、むずかしいことを理解する力があった。

「必要なものを荷造りしたら出発するわよ」

エルヴァは脱出《だっしゅつ》できる見込《みこ》みがないと思っているようだが、それでも小さな木の樽《たる》と雑多な器を毛布に包んでひもで結んでいる。

「世話役のグレタは？」あたしはたずねた。

「残りの人生を快適に過ごせるようにしてあるわ」

「それはよかった。でも、予測できないこともままある。もう二度と彼女《かのじょ》に会えないかもしれない。後悔《こうかい》しないように、きちんとお別れをいっておこう」

エルヴァはためらったが、最後にはあたしが勧《すす》めたとおりにした。あとでグレタの記憶《きおく》を調べられるかもしれないから、あたしはグレタには見られないほうがいい。エルヴァが呼び鈴《りん》を鳴らしてグレタを呼ぶあいだに、あたしはカーテンのかげに隠《かく》れた。

いつもエルヴァのことを気にかけているグレタは、すぐに現れた。エルヴァが別れをいいだすと、老婆《ろうば》はやはり悲しんだ。これまで誠心誠意エルヴァを世話し、エルヴァを守るためにわが身を犠牲《ぎせい》にしてきたのだ。あたしはグレタの決断力と粘《ねば》り強さに心を打たれた。グレタが、ここを出るには若すぎるのではないかと心配を口にすると、エルヴァは、わたしは大丈夫《だいじょうぶ》、これまでいろいろとありがとうと礼をいった。

グレタはなかなか部屋を出ていかなかった。エルヴァをどれほど愛し誇《ほこ》りに思ってきたか、どれほどエルヴァを守りたかったかなど、自分の強い気持ちをなんとか伝えようと、何度も同じ話をくりかえした。

グレタの繰《く》り言がいつまでも終わらず、エルヴァの受けこたえはだんだんぶっきらぼうになってきた。と、グレタが急に口を閉じたので、あたしは心配になった。ふたりのあいだに割って入ろうかと思ったとき、エルヴァがグレタになにか

ささやいた。するとグレタは、死にゆく動物の悲鳴のような声をもらした。

エルヴァがどんな恐《おそ》ろしいことをいったのかはわからないが、世話役のグレタには致命的《ちめい》な一撃《いちげき》だった。エルヴァはさらになにかつぶやいた。それを聞いたグレタは、また声をもらしたが、さっきとはまったく調子がちがっていた。

「おまえさんは怪物《かいぶつ》だ……いいかい、こわしたものは、あとで呪文《じゅもん》でもとにもどせるわけじゃないんだよ。こわれたものはこわれたままさ。ケガは癒《い》えても傷は残るだろう。わしはおまえを愛しているんだよ。とてもね。その意味がわかるかい？　わしはおまえを愛し、四六時中心配するだろう。生きているかぎりずっとだよ。でも、おまえを信じることは、もうしない」

グレタが玄関《げんかん》まで足をひきずって出ていった。ドアがきしんで閉まると、部屋はしんと静まりかえった。

あたしはカーテンのかげから出た。

「なにをいったか知らないけど、本当にいう必要があることだったの？」

エルヴァは肩《かた》をすくめた。自分のいったことの結果を気にしていないふりをしていたが、顔は青ざめ、体は震《ふる》えていた。

そして、あたしの目を見て、あたしがもっとも恐《おそ》れている言葉を口にした。

その恐怖《きょうふ》とつねに隣《とな》りあわせで生きてきたとはいえ、ほかのだれかにそれを言葉にされるのは——たとえ相手がその意味や暗示するものを知らなかったとしても——千匹《ひき》のスズメバチに刺《さ》されたような恐怖《きょうふ》とおどろきと痛みに襲《おそ》われる感覚だった。

あたしはエルヴァの力に免疫《めんえき》があるはずなのに、どうやらエルヴァは呪《のろ》いの力であたしのバリアをくぐり抜《ぬ》けたようだ。ドラゴンに由来する強い力で何度もバリアに襲《おそ》いかかり、ついにほころびを見つけたのだろう。あたしはすぐにバリアを倍の強さにして、すこしのあいだだけでもエルヴァの詮索《せんさく》を阻止《そし》しなければと思った。

エルヴァは反抗《はんこう》的な表情であたしを見つめた。

「魔女《まじょ》アンジェラ、本当にわたしと旅をしたいの？　なにもかも知っているわたしと行動をともにして大丈夫《だいじょうぶ》？」

そういわれても、あたしは取り乱さなかった。もう子どもではなかったし、愚《おろ》かな徒弟でも、ぴりぴりした修道女見習いでもない。さすらい傷ついた日々も、快適な場所に腰《こし》を落ちつけた時代も、その恐怖《きょうふ》はつねにあたしを支配していた。でも、そうした日々が過ぎ去ったいま、あたしはひるまず恐怖《きょうふ》と向きあうことが

できた。すべてを受けいれることはできないにしても、何年もかかって、真実をそのまま認めることを学んだのだから。

あたしの反応が期待していたものとはちがったのだろう、エルヴァの顔にはいろいろな感情があらわれては消えた。あたしはグレタとちがい、とっくの昔に自分の感情を抑《おさ》えるすべを会得していた。

あたしはいってやった。

「なんといわれようとあきらめないわよ。あたしはあんたよりもはるかに危険なことを果敢《かかん》に乗り越《こ》えてきたんだから。わかるでしょ、時間がないの。さあ、来なさい」

エルヴァは持ち物の包みを胸に抱《かか》えていった。

「本当にここから連れ出す気？」

そしてエルヴァはあたしをにらみつけた。その視線は「さあ、わたしを失望させるならいまよ。おとなはみんなそうしてきた。あなたも同じでしょ？」と語っていた。

あたしはもう一度手を差し出した。エルヴァはこんどはあたしの手を取った。

あたしはエルヴァを部屋の隅《すみ》に連れていき、重なりあった布をよけて石の壁《かべ》が見

えるようにした。

「なにを――」

あたしは壁《かべ》についた線をぐるりとなぞって、そこになかった扉《とびら》をつくり、それを開けた。扉《とびら》の向こう側は夜で、黒く見える海のそばの浜辺《はまべ》は星明かりに照らされていていた。夜空には多くの星が輝《かがや》いていた。本来あるはずの数よりも多くの星が。

もちろんあたしはまだエルヴァをわが家に連れていくつもりはなかった。だが、そこはエルヴァにとって必要な通過地点で、みずからを鍛《きた》え、学び、おとなへと成長する場所だった。エルヴァが他人の要求にわずらわされる苦痛から解放され、疲《つか》れた心を休めることができる場所でもあった。

エルヴァは、境界に開いた亀裂《きれつ》、ありえない入り口をただ見つめていた。今回は辛辣《しんらつ》なことは言わなかった。

ソレムバンが視界に入ってきた。扉《とびら》の縁《ふち》からエルヴァの部屋のなかをのぞきこんでから、ふさふさの耳をぴくりとさせてあたしを見あげた。

〔腹が減った。食べ物は持ってきたか？〕

〔もちろんよ。今回はウサギ。これでよろしい？〕

ソレムバンが鼻をひくひくさせた。

〔これならよろしい〕

ソレムバンは浜辺《はまべ》をうろうろしながら視界から消えていった。

「さあ、どうする？」あたしは最後にたずねた。

エルヴァはあたしの手をそれ以上できないほど強くにぎりしめた。それからドア枠《わく》をまたいで歩きだした。あたしは半歩遅《おく》れてエルヴァについていった。

第六章　問いとこたえ

エラゴンは読んでいた原稿《げんこう》の束を膝《ひざ》の上に置き、部屋の外で渦巻《うずま》く雪を長いこと見つめていた。

やがて原稿《げんこう》を手に立ちあがり、そびえ立つ要塞《ようさい》の長いらせん階段を、一階の共有エリアまでおりていった。そこではドワーフや、人間たちの多くが食事をしていたが、エルフは数人だけで、アーガルはいなかった。食堂のすみではドワーフが、ルーン文字が刻まれた曲がった骨笛を吹《ふ》いていた。笛の神秘的だが温かさもある調べが、人々の話し声とまざりあい、くつろげる雰囲気《ふんいき》を醸《かも》し出していた。

アンジェラは暖炉《だんろ》のそばにすわり、赤と緑の撚《よ》り糸で毛糸の帽子《ぼうし》の縁《ふち》の部分を編んでいた。エラゴンが近づくと顔をあげたが、カチカチと音を立てる編み針の動きはす

こしも鈍《にぶ》らず、手元がくるうこともなかった。

「質問があるんだ」エラゴンはいった。

「ということは、ほかのだれよりも賢《かしこ》いね」

エラゴンはアンジェラの隣《となり》にしゃがんでページをついた。

「これは、どれくらい本当なの？」

アンジェラは小さく笑った。吐《は》いた息が寒さで白くなった。

「それについては〈序章〉であきらかにしたはずだけど。真実であろうとなかろうと、エラゴン、あんたの思ったとおりよ」

「じゃあ、すべて作り話？」

「それはちがう」アンジェラはそういうと、編み針を素早く動かしたまま、真面目な顔でエラゴンを見た。「作り話じゃない。でも、たとえ作り話だとしても、物語にはたいてい学ぶべき教訓がふくまれている。そう思わない？」

エラゴンは、困惑《こんわく》とも憤慨《ふんがい》ともつかない顔で首を振《ふ》った。それから、みんなが椅子《いす》にしている切り株をひとつ、暖炉《だんろ》のそばに引っ張ってきて腰《こし》かけ、火のほうに足を伸《の》ばした。ブロムは夕方になるとよくパイプを吸っていた。自分もパイプを手に入れようかとエラゴンは考えた。ドワーフはきっとぼくに合うパイプを持っているはず……。

静かな声で、エラゴンはいった。「なぜ、これをぼくに読ませたの？」

「あんたが通るべきドアがあると思うから、かな」

エラゴンは顔をしかめた。アンジェラのあいまいなこたえにはいつもいらだちを感じる。

「〈塔《とう》の番人〉は――」

「あの人についてはなにもいうことはないね」

またなにかいいかけたエラゴンを、アンジェラはさえぎった。

「ほかの質問をどうぞ、もしあるなら。でもあの人についての質問はだめ」

「わかったよ」

エラゴンはそういったが、疑念を抱《いだ》いたまま、人が集まる食堂を見渡《みわた》した。エルヴァがすわってドワーフの一団とおしゃべりをしていた。ドワーフたちは、らしからぬ熱心さでエルヴァの話を聞いている。

「エルヴァのことは……」

「エルヴァは明るい未来のある娘《むすめ》よ」アンジェラはそういって、エラゴンに明るすぎる笑顔を見せた。

「つまり、将来性のある若者が受けるべき訓練を、きちんと受けられるようにしてやらなきゃならない」

「そのとおり」アンジェラの顔には満足と安堵《あんど》があった。それから、こういってエラゴンをおどろかせた。

「エラゴン、わかってね。あたしひとりの手に負えないってわけじゃないけど、何人かで取り組んだほうがいい仕事もあるでしょ」

エラゴンはうなずいた。

「もちろん協力するよ。エルヴァのことは最終的にぼくの責任だ」

「ブロムのせいにもできるけどね、あんたに古代語の活用をきちんと教えなかったんだから」

エラゴンはぷっと吹《ふ》き出した。

「まあね。でもあやまちを死者のせいにしても問題は解決しない」

アンジェラは相変わらず編み針をカチカチいわせながら、情け深い表情でエラゴンを見た。

「あらら、おとなになって賢《かしこ》くなったね」

「そうじゃない。ただ、同じあやまちをくりかえさないようにしているだけさ」

「それが知恵《ちえ》の定義だっていう人もいる」

エラゴンはかすかに微笑《ほほえ》んだ。「そういう人もいるだろうけど、失敗を避《さ》けるだけでは人は賢《かしこ》くなれないよ。岩の下に百年閉じこもってる亀《かめ》が、新しいことをなにか学べると思う?」

アンジェラは肩《かた》をすくめた。「それをいうなら、塔《とう》のなかに百年閉じこもってる人間はなにか学べる?」

エラゴンはアンジェラをじろりと見てからいった。「たぶんね。場合による」

「だとしても、ほとんどムリでしょ」

エラゴンは立ちあがって原稿《げんこう》をアンジェラに差し出した。「はい、これ」

「あんたが持ってて。あたしよりむしろあんたの役に立つはず。それに、あたしは頭のなかにちゃんと入ってるから。ほんとうに重要なのはそれだけ」

「じゃあ、だれにものぞかれない場所にしっかり保管するよ」エラゴンはそういうと、原稿《げんこう》の束を上着のふところに入れた。

「よろしく」アンジェラは微笑《ほほえ》んだ。

エラゴンはそれからエルヴァのほうをふりかえった。胸中にわき起こった恐怖《きょうふ》を、エラゴンは無視した。難しいことや不快なことだからといって、やる価値がないわけではない。

エラゴンが「あとでまた話そう」というと、アンジェラはフンと鼻を鳴らした。エラゴンには肯定《こうてい》とも否定ともつかなかった。
　にぎやかな食堂を横切りながら、エラゴンは心でサフィラに呼びかけた。サフィラは外でブロードガルムや何人かのエルフといっしょに炎《ほのお》で雪を溶《と》かしていた。
〔話を聞いていた？〕
〔もちろん、小さき友よ〕
〔おまえの助けが必要になりそうだ〕
〔了解《りょうかい》。すぐに行く〕
　サフィラがなかにもどってくるのを感じると、エラゴンは気分をよくして歩きつづけた。エルヴァの教育はぼくだけでは手に負えないかもしれないが、サフィラがいれば安心だ。エルヴァもぼくのことは操れたとしても、さすがにドラゴンを操ることはできないだろう。
　いずれにしても、興味深い体験になりそうだ。
　エラゴンはエルヴァの前で立ちどまった。エルヴァは、スミレ色の瞳《ひとみ》でエラゴンを見あげて微笑《ほほえ》んだ。それからネズミを前にしたネコのように、とがった歯を見せていった。
「ごきげんよう、エラゴン」

PART 3
大蛇《ワーム》

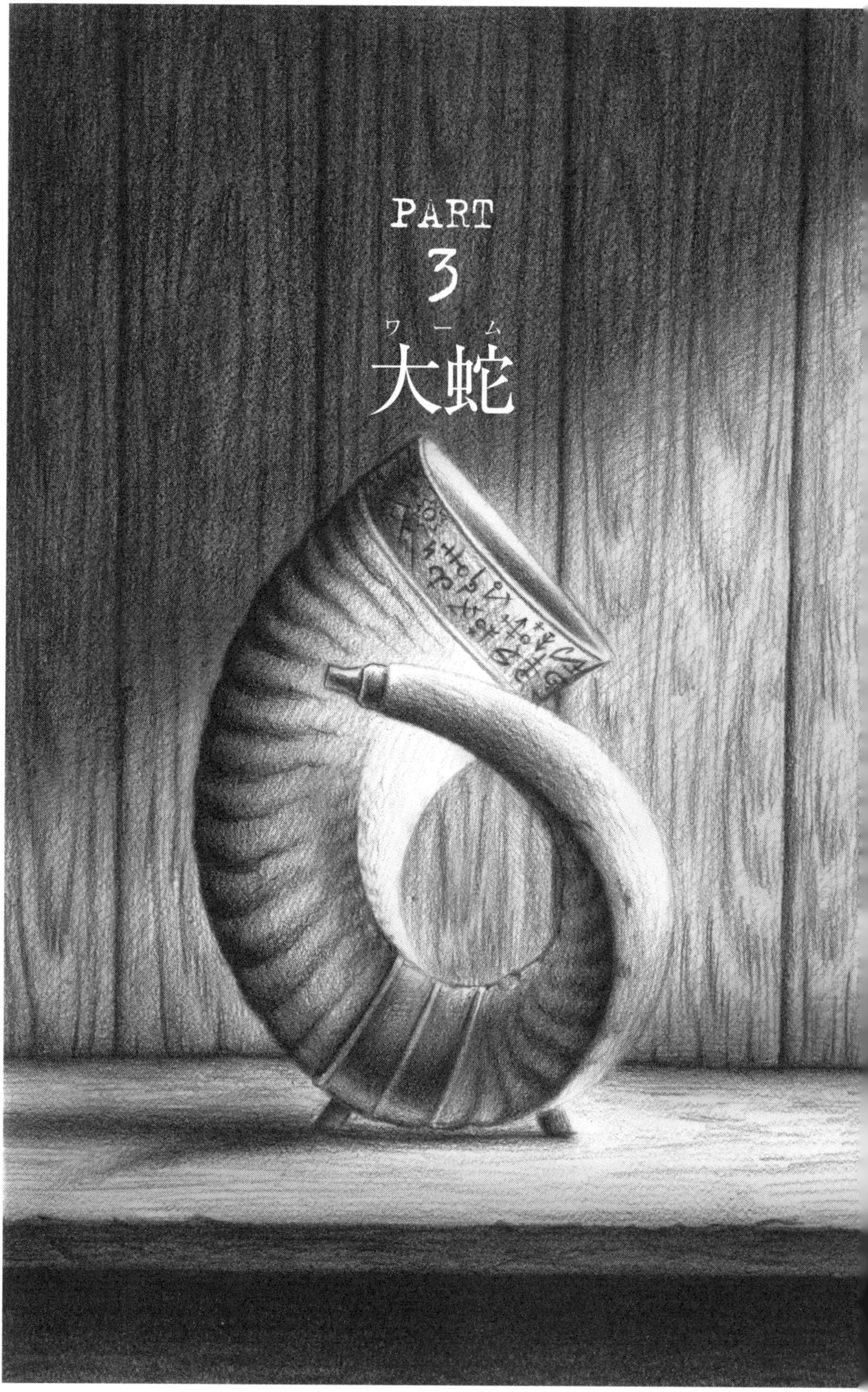

第七章
落とし穴

アーンゴール山にようやく春がやってきた。

エラゴンは本殿《ほんでん》の外で、敷地《しきち》をめぐる森林のわきを歩きながら、草木の根を引きぬく作業をしていた。土がきれいになれば、ハーブや野菜、ベリーなど食糧《しょくりょう》に使える作物を植える。ドワーフと人間がくゆらせるタバコの葉、ドラゴンの消化を助けるヤナギランも植えるつもりだ。

エラゴンはシャツを脱《ぬ》いで、午後の日差しを思いきり肌《はだ》に浴びていた。いまだ寒い日や曇《くも》りの日が多いなか、この心地よさはありがたい。そばにはサフィラがゆったりとすわり、踏《ふ》みならした草の上で日光浴をしている。サフィラが前もって鉤爪《かぎづめ》で引っかいて土を起こしてくれたので、作業はうんとラクになった。

いっしょに作業をしているのはドワーフたちだ。男のドワーフがふたり、女のドワーフが三人。みなオリクの部族、ダーグライムスト・インジータム族のドワーフたちだ。彼《かれ》らは楽しげに笑い、ドワーフ語の歌をうたいながら作業している。エラゴンも彼《かれ》らと声をあわせてうたおうと頑張《がんば》っている。かぎられた時間のなか、ドワーフ語をすこしでもおぼえようと努力しているのだ。それよりさらに荒《あら》っぽいアーガルの言語も。

古代語をおぼえてわかったのは、言語はパワーであるということ。ときには文字通りの意味で、ときには比喩《ひゆ》的な意味で。だがどちらの意味でも、エラゴンは自分自身のために、いま責任を負っている者たちのために、できるだけ多くのことをおぼえ、理解したいと思っている。

ふいに、とある記憶《きおく》が頭のなかに現れた——エラゴンはエレズメーラの郊外《こうがい》に近い、小さな草地に立っている。まわりをかこむのは、エルフの歌で優美な形につくられたマツの木々だ。目の前には花が咲《さ》きみだれ、鬱蒼《うっそう》とした森のなか、緑のオアシスに流れるような花模様を描《えが》いている。咲《さ》きほこる花のあいだをミツバチが飛び、草地のあちこちで蝶《ちょう》が花びらのようにひらひらと舞《ま》っている。足元にある自分の影《かげ》は、赤い鱗《うろこ》の照り返しでまだらになったドラゴンの姿の影《かげ》だ。

すべて順調だ。すべてがのぞみどおりだ……。

エラゴンはかぶりを振《ふ》り、われに返った。顔から汗粒《あせつぶ》が飛ぶ。〈エルドゥナリ〉が意識の扉《とびら》を開いて記憶《きおく》を共有するようになって以来、自分のものではない記憶《きおく》が頭に浮《う》かぶようになった。その急襲《きゅうしゅう》にうろたえてしまうのは、それがまったく予期せずやってくるからだ。そして、頭の貯蔵庫にいまや膨大《ぼうだい》な知識がつめこまれているのに、まだその知識のほんの一部しか身についていないからだ。完全に習得するには一生涯《しょうがい》かかるかもしれない。

だが、それはそれでよしとしている。学ぶのはもっとも大切な楽しみのひとつだし、歴史やアラゲイジアの地理や、ドラゴンのこと、人生全般《ぜんぱん》のことなど、学ぶべきことはたくさんある。

いま伝わってきた記憶《きおく》は、イヴァロスというドラゴンのものだ。たしか、ライダー族が崩壊《ほうかい》する以前に、季節はずれの猛烈《もうれつ》な雷雨《らいう》で肉体を失ったドラゴンだった。

エレズメーラの情景が頭に浮《う》かんだことで、なつかしさがこみあげてきた。エラゴンは作業の手をとめ、エルフの都で過ごした日々を思い出した。ドゥ・ウェルデンヴァーデンの古代の森で、いまはエルフ族の女王となったアーリアのことを思うと、胸の奥《おく》にかすかにズキンとうずくものを感じる。アーリアとは、自分の部屋にある透《とう》視《し》の鏡で何度か話しているが、ふたりとも自分の仕事で忙《いそが》しく、めったに会話できなくなった。

サフィラがまぶたのかぶさった目でエラゴンを見た。鼻を鳴らすと、小さな煙《けむり》が噴《ふ》き出し、地面をただよっていく。

エラゴンは笑みを浮《う》かべ、ふたたびつるはしを振《ふ》りあげた。生活は順調だ。冬は終わり、本殿《ほんでん》はいま屋根が取りつけられて完成する。ほかにも部屋がいくつも完成に近づいている。心を病んだ〈エルドゥナリ〉が三体、エルヴァの特別な能力のおかげで、地下の洞窟《どうくつ》から〈色彩《しきさい》の間《ま》〉へうつされるまでになった。

エルヴァとアンジェラと魔法《まほう》ネコは、二週間前に去っていった。彼《かれ》らはつねになにかしらエラゴンの心をざわつかせる存在だから、見送ることにさびしさはなかった。それでもエラゴンは、エルヴァと過ごした時間には満足していた。エラゴンは、エルヴァがここに来てからずっと毎日修業をともにし、ブロムやオロミスが自分にしてくれたように少女を訓練した。エルヴァはまたサフィラやグレイダーや、いくつかの――正気な――〈エルドゥナリ〉とも長い時間を過ごした。アンジェラとここを発つころには、エルヴァの態度には変化があらわれていた。以前より肩《かた》の力がぬけておだやかに見え、その受け答えからとげとげしさが消えたようだった。

こうしたよい変化がずっとつづいてほしいと願うばかりだ。

旅の行き先をたずねたとき、アンジェラはいった。「そうね、どこか遠い海岸あたりとか。居心地がよくて人里離《はな》れた場所。ありがたくないことでおどろかずにすむところ」

この数か月というもの、エラゴンは薬草師アンジェラから――さまざまな疑問にかんして――できるだけ多くのこたえを引き出そうと奮闘《ふんとう》したが、それはまさに花崗岩《かこうがん》の壁《かべ》を小枝で切り開こうとするようなものだった。すぐに話をそらしたりとぼけたり、さもなければエラゴンの努力を完膚《かんぷ》なきまでに打ち砕《くだ》いてしまったり。ひとつだけ、あらたに知ったのは、アンジェラとソレムバンが初めて出会ったときの話だ――それを聞いた夜は、最高に楽しいひとときを過ごせたものだ。

エラゴンは掘《ほ》りかえした土のなかに、ピンク色のなにかがいるのに目をとめた。つるはしをおろし、しゃがんで見ると、香り豊かな土のかたまりの上を、縞《しま》模様の長いミミズ《ワーム》が探るように這《は》っている。

「さあ、ほら」ミミズの家をこわしたことを申しわけなく思いながら、エラゴンはその前方に手を置き、ミミズを掌《てのひら》の上に這《は》い進ませた。そのまま掌《てのひら》を持ちあげ、すこしはなれたところに運ぶと、ミミズがまた地中にもぐっていけるように乾《かわ》いた草の上に

はなしてやった。

　そのとき、本殿《ほんでん》のなかで大きな声が響《ひび》いた。「エブリシル！　エブリシル！」薄暗《うすぐら》い戸口から現れたエルフのエイストリスは土ぼこりにまみれ、右腕《みぎうで》には血がにじみ、顔をこわばらせている。

　エラゴンはいつもながら本能的に、うなじがチクチクするのを感じた。つるはしをつかんで駆《か》けつけると同時に、エイストリスはいった。「作業中のトンネルが崩《くず》れて、ふたりが――」

「どのトンネルですか？」エラゴンは聞きかえしながら、エルフとともに本殿《ほんでん》へ急いだ。うしろでサフィラが体を起こし、重い足音を響《ひび》かせてついてくる。

「地下のいちばん下のトンネルです。きのう見つけた分岐トンネルを、ドワーフたちが掘《ほ》り返していたのですが、急に天井が崩《くず》れ、ふたりが岩の下敷《したじ》きなって……」

「ブロードガルムに報告は？」

「ええ、現場で落ちあうことに」

　エラゴンは低くうめいた。

　ふたりは本殿《ほんでん》を横切って階段を駆《か》けおり、地下の採掘《さいくつ》トンネルへ通じる扉《とびら》をぬけた。地中の冷たい空気が肌《はだ》に触《ふ》れると、エラゴンは脱《ぬ》いだシャツを持ってこなかった

ことを悔《く》やんだ。

ああ、まったく。

静寂《せいじゃく》の数分間、ふたりはジグザグのトンネルを足早に進み、アーンゴール山腹のトンネルを奥深《おくふか》くまでおりていった。壁《かべ》には一定の間をおいてランタンがついているが、その間隔《かんかく》は広く、光のとどかないところは重苦しい闇《やみ》につつまれている。

エラゴンは頭の奥《おく》で、サフィラが注意深く見守っているのを感じた。その声がたずねる。〔わたしはなにをすればいい？〕サフィラがいらだっているのがわかる。じゅうぶん成長したドラゴンの体が入るにはトンネルはせますぎる。

〔そこで待機していてくれ。おまえの力が必要になるかもしれない〕

エラゴンとエイストリスが古い採掘抗《さいくつこう》の最下層まで近づくと、前方から怒号《どごう》が聞こえてきた。だが、むき出しの岩でこだましてなにをいっているのか聞きとれない。

崩壊《ほうかい》のあった付近は、いまだ空気中に土煙《つちけむり》が立ちこめ、天井に浮《う》かんだ三つの魔法《まほう》の光が――不安定ながらも――薄暗《うすぐら》いトンネルを照らしている。

薄闇《うすやみ》のなかに四人のドワーフが現れた。エラゴンの知った顔ばかりだ。四人は生き埋《う》めになった仲間を救い出そうと、がれきを掘《ほ》り起こしてトンネルの両脇《りょうわき》に積みあげている。

エイストリスは狭《せま》い通路に横たわる巨大《きょだい》な岩盤《がんばん》を指さした。岩盤《がんばん》を切り分けるように、まっすぐな亀裂《きれつ》が数本入っている。エイストリスがいった。「エブリシル、岩を割って取りのぞこうとしたのですが、一か所を持ちあげようとすると、残りの部分がよけいに埋《う》まってしまうのです。かといって、一度に持ちあげられるほど、わたしの力は強くない」

ひげの濃《こ》い、ドラムガーというリーダー役のドワーフがうなずいた。「そうなんです、ジャーグンカーメイダー（ドラゴンライダー）、あなたとドラゴンの力を借りるしかない。どうか助けてください」

エラゴンはつるはしを壁《かべ》に立てかけ、目を閉じた。そのままじっと意識の手をのばし、埋《う》まっているドワーフたちを探してみる……あそこだ。数十センチ先に、風のなかのローソクのように、かすかに揺《ゆ》らぐ意識がひとつある。

閉じこめられているのは、ふたりではなかったのか？

しかし、ぐずぐずしてはいられなかった。見つけたドワーフの命がいまにも消えそうなのがわかる。「離《はな》れていて」エラゴンはいった。

エイストリスとドワーフたちが急いでうしろにさがる。エラゴンはすぐにサフィラと意識をあわせ――サフィラから〈色彩《しきさい》の間《ま》〉の〈エルドゥナリ〉たちへとつない

で——ひとつの言葉を発した。「リサ〈あがれ〉」

　言葉は単純だが、それはエラゴンのやろうとしていることをみちびく呪文《じゅもん》の言葉だった。ミシミシ、ギシギシと岩が大きくきしみ、震《ふる》える音がトンネルじゅうに響《ひび》きわたり、崩《くず》れ落ちた岩盤《がんばん》が宙へ持ちあがった。膨大《ぼうだい》なエネルギーが一瞬《いっしゅん》にして消費された。ドラゴンたちの力を借りなければ、エラゴンは気を失い、呪文《じゅもん》を制御《せいぎょ》できなくなっていただろう。崩落《ほうらく》した岩を天井に押《お》しつけようとすると、またもや土煙《つちけむり》がもうもうと立ちこめた。エラゴンは思わず咳《せ》きこみ、もう一度言葉をとなえた。「メルスナ〈溶《と》けよ〉」

　エラゴンの魔法《まほう》の指示で、浮《う》かんでいたすべての岩がいっせいに動きだした。それぞれの岩がまわりの壁《かべ》に溶《と》けこみ、アーンゴール山の骨格へとみずからもどっていく。かたい壁《かべ》となった岩からは、エラゴンの頬《ほほ》を刺《さ》し、胸毛を焦《こ》がすほどの高熱が発せられた。

　エラゴンはとめていた息をふうっと吐《は》き、呪文《じゅもん》を終わらせた。〈助かったよ〉サフィラに感謝を伝え、さらに〈エルドゥナリ〉へと伝えてもらう。

　土ぼこりがおさまると、揺《ゆ》らめく魔法《まほう》の光で、トンネルの先にぐったりと横たわるドワーフふたりの姿があらわになった。あたりは血に染まっている。

倒《たお》れた同族のもとへ、ドラムガーたちドワーフがいっせいに駆《か》け寄った。エラゴンは魔法《まほう》を使った疲《つか》れを体に感じながら、ドワーフたちに遅《おく》れてついていった。ドワーフたちはひげや髪《かみ》をかきむしって悲しみにうめき、その慟哭《どうこく》が採掘抗《さいくつこう》に響《ひび》きわたった。ドワーフたちの声にエラゴンの心は沈《しず》んだ。ふたりの傷ついた体に命のしるしはないか、もう一度だけ意識の手を伸《の》ばして探ってみる。

だめだ。ふたりとも死んでいる。

素早く救出したのに、ふたりを助けられなかった。エラゴンはがっくりと膝《ひざ》をつき、こみあげてくる涙《なみだ》をこらえた。ふたりの名前はナールとブリムリングだ。それほど親しかったわけではないが、夜遅《おそ》くにたき火をかこむ彼《かれ》らの姿を何度も見かけたことがある。いつも歌をうたったり、ジョークを飛ばしたり、元気いっぱいな姿ばかりが思い出される。

エイストリスがエラゴンの肩《かた》に手をのせるが、あまり慰《なぐさ》めにはならない。顔をふせると、こらえていた涙《なみだ》がこぼれ落ちた。ドラゴンライダーになって学んだ魔法《まほう》や、身につけたパワーをいくら駆使《くし》しても――〈エルドゥナリ〉の総力を結集しても――いまだエラゴンの力のおよばないことがあるのだ。

膨大《ぼうだい》な量の石を呪文《じゅもん》ひとつで動かすことはできても、死をくつがえすことはできな

い。それはだれにもできないことなのだ。

その日はただ残りの時間がぼんやりと過ぎていくだけだった。ドワーフたちは遺体の手足をまっすぐに整え、体を洗い、きれいな衣装を着せ、ひげにオイルを塗《ぬ》り、ほかにもいろいろと、種族の習慣として石の霊廟《れいびょう》に埋葬《まいそう》するための準備をした。

エラゴンは、遅《おく》れて現場に到着《とうちゃく》したブロードガルムと、エイストリスとともに、さらなる崩落《ほうらく》が起きないよう事故のあった採掘抗《さいくつこう》の安全を確認した。そのあとは、心身ともにぐったりと疲《つか》れ、部屋へ引っこんだ。そしてサフィラのとなりに身を投げ出し、安眠《あんみん》できないまま時間を過ごした。

夜になっても、エラゴンはあいかわらず暗く憂鬱《ゆううつ》で、調子がもどらないままだった。エルフたちはありとあらゆる気高い言葉で慰《なぐさ》めてくれるが、彼《かれ》らの冷静な論法では、エラゴンの見通しはあまり明るくならなかった。ナスアダの個人特使マーレス・オッズフォードをはじめ、人間たちもその気持ちは同じだった。人間たちの多くが、ドワーフたちと冬じゅう大変な作業をともにしてきたのだ。ナールとブリムリングを失った衝撃《しょうげき》はエラゴン以上に大きい。

それでも、エラゴンは立場を忘れなかった。自分の務めを果たし、悲しみに暮れる

ドワーフたちのあいだを励《はげ》ましや慰《なぐさ》めの言葉をかけて歩いた。フルスマンドもドラムガーもエラゴンに感謝を告げ、エラゴンは次の日の葬儀《そうぎ》に参列することを彼《かれ》らに約束した。

夜も更《ふ》けるころ、エラゴンはいつのまにかアーガルの集まるラウンジに足を向けていた。アーガルたちはワイワイガヤガヤと騒《さわ》がしかった。ドワーフに親愛の情があるわけではないが、頭《かしら》のスカーガズはナールとブリムリングに敬意を表して杯《さかずき》をかかげた。そして仲間たちがいっせいに――サフィラの咆哮《ほうこう》にも匹敵《ひってき》するほどの――大声でうなりをあげた。

さらに夜が深まり、ほかの者たちが引きあげるころになっても、エラゴンはアーガルたちと残ってレック――ガマを発酵《はっこう》させたアーガルの酒――を飲み、サフィラは大広間のすみでまどろんでいた。

「ライダー！」スカーガズの声がとどろく。「しょげこんでいるな」カルのスカーガズは広い肩《かた》を前にかがめ、長い髪《かみ》を編んでむき出しの背にたらしている。真冬でも、ざっくりとしたベスト以外、めったに身につけようとしない。

エラゴンはいい返す気にもならなかった。「ああ、そのとおりさ」と、いくぶん誇《こ》張《ちょう》して発音する。

巨体《きょたい》のカルは、同じく巨大《きょだい》な杯《さかずき》からレックをグイッとひと飲みすると、別のアーガルに向かって手招きをした。かっぷくがよく、やや太鼓腹《たいこばら》の、顔の横一文字に長く赤い傷痕《きずあと》のあるアーガルだった。「アースク！　われらがライダーに、気分がよくなるような話をしてやってくれ。昔話を聞かせてやってくれ」

「この言葉で？」アースクは聞き返した。顔をゆがめ、とがった歯をむき出している。

「ああ、この言葉で、だ、ドラジル（ウジ虫野郎《やろう》）！」スカーガズがうなった。そして自分より小柄《こがら》なアースクに、からになったレックの樽《たる》をほうり投げた。樽《たる》はアースクの角にあたってはね返った。アースクはよけることもたじろぐこともなく、ただ低くうなって、暖炉《だんろ》の前の石の床《ゆか》に腰《こし》をおろした。「では、太鼓《たいこ》を用意してくれ」

別のアーガルがスカーガズに指示され、営舎に駆《か》けもどって小さな革《かわ》の太鼓《たいこ》を取ってきた。アースクは足のあいだに太鼓《たいこ》をはさみ、両手の太い指を革《かわ》の上にのせると、そこでひと呼吸置いていった。「ライダーよ、これから語る話は、われらがアーグラールグラの母語を、あんたがたの母語に変えて話さねばならんのだ。あんたがたの話し方を学んでほぼ三度目の冬になるが、うまく伝わるかどうかわからない」

「大丈夫《だいじょうぶ》。ちゃんと伝わるさ」エラゴンはいった。アースクがほかのアーガルたちより流ちょうに人間の言葉を話すことには気づいていた。語り部か吟遊詩人《ぎんゆうしじん》になる訓練でもしているかと思うほどだ。どんな話を聞かせてくれるのかと期待して、エラゴンは椅子《いす》の上でぐっと身を乗り出した。

大広間の片すみで、サフィラのまぶたが半分開き、すきまから青く光る目が見えた。

スカーガズは杯《さかずき》の底で足をたたき、レックのしぶきを床《ゆか》に飛ばして急き立てる。

「アースク、前置きはもういい！　早く話してやれ。偉大《いだい》なクルカラスの話を聞かせてやれ」

アースクがまた低くうなる。あごを引き、すこしの間のあと、太鼓《たいこ》の音を一発響《ひび》かせ、話しはじめた。

アースクの話しぶりはぶっきらぼうだが、エラゴンはそこに真実を感じた。話を聞くうちに、まるで自分が別の時空に移動したような感覚になり、語られるできごとはすぐに、いまいる場所の情景そのものと同じぐらい現実味をおびてくるのだった。

第八章　クルカラスのドラゴン

ドラゴンがやってきた日は、死の一日だった。

　ドラゴンの黒い影《かげ》は、風に乗って北から飛んできた。音もなく静かに谷間を通りぬけ、ビロードの翼《つばさ》で太陽をおおい隠《かく》した。ドラゴンが降り立つと、田畑や森は燃えつき、川は漂《ただよ》う灰でせきとめられた。獣《けもの》たちも、〈角持つ者《ホーンド》〉も逃《に》げまどい、悲しみと恐怖《きょうふ》のさけびが夏の空をつんざいた。

　やってきたのは〈死神ヴァーモンド〉と呼ばれるドラゴンで、老練で残虐《ざんぎゃく》で、世の中のことをよく知っていた。ヴァーモンドのうわさは北から伝わってはいたが、はるか遠い凍《い》てつく北の住みかを捨てたという警告や気配はいっさいなかった。

　それなのに、やつはそこに現れた。黒焦《くろこ》げの骨のように黒く、鱗《うろこ》は黒々《くろぐろ》と光り、の

どには炎《ほのお》が満々《まんまん》とつまっていた。

若き〈角を持つ者《ホーンド》〉の娘イルグラはそのとき、谷間の東の丘《おか》の、いつも泳ぎにくる湧《わ》き水の池のほとりで、友だちといっしょにいた。そこでドラゴンを目撃《もくげき》した。イルグラはその場所から、ドラゴンが炎《ほのお》と鉤爪《かぎづめ》とギザギザの尾《お》で、村の畑を破壊《はかい》するさまを見た。スクガロ族の戦士たちは弓矢と槍《やり》と斧《おの》で立ち向かっていた。だがヴァーモンドは炎《ほのお》で彼《かれ》らを焼きつくし、踏《ふ》みつぶし、戦士たちの闘志《とうし》を打ちくだいた。どんなに鋭《するど》くとがった刃先《はさき》もドラゴンの皮膚《ひふ》を突《つ》き刺《さ》せない。それにスクガロ族には彼《かれ》らを守る魔術師《まじゅつし》がいなかった。結果、気づくとドラゴンのなすがまま。できることといえば、せいぜいやつを苛立《いらだ》たせるぐらいだ。とめるすべがない。お手上げだった。

ヴァーモンドは邪悪《じゃあく》なドラゴンだ。なにもかも手当たりしだいに食いものにした——男も女も年寄り子どもも区別なく。情け容赦《ようしゃ》なく。村の家畜《かちく》も食われた。無力な動物たちを炎《ほのお》のフェンスで囲い、あごに血のりをこびりつけ、地面が真っ赤な修羅《しゅら》場《ば》と化すまで晩餐《ばんさん》を楽しんだ。

その一部始終をイルグラは見ていた。助けることもできず、池のそばでただ待つことしかできなかった。だがそれは、どんな傷を負うよりも耐《た》えがたいことだった。不覚にもその混乱のなかに飛びこんだ友人たちは、多くが命を失った。

ドラゴンがイルグラの家に迫《せま》るのを見たとき、イルグラはただ歯をむき出してうなることしかできなかった。やつはじわじわと近づき、どんどん近づき、やがてゆっくりと大きな一撃《いちげき》で、イルグラの家を破壊《はかい》した。

イルグラはのどが引き裂《さ》けんばかりのうなりをあげ、がくりと膝《ひざ》をつき、角の先をにぎりしめた。

苦悶《くもん》が安堵《あんど》に変わったのは、がれきのなかから這《は》い出てくる母を見たときだ。妹ヤーナもいっしょだった。しかし安堵《あんど》もつかの間、ヴァーモンドはふたりのほうへ頭を下げ、熱い口を大きくあけた。

そのとき、視界のすみからだれかが飛び出してきた。槍《やり》を振《ふ》りあげた父だった。イルグラの胸に希望の光が満ちた。イルグラの父は〈任命されし者《アノインテイド》〉のなかでいちばんの強者《つわもの》だ。父の力に対抗《たいこう》できる者はめったにいない。ドラゴンとくらべれば体は小さいが、父の勇気は神のそれにも匹敵《ひってき》すると、イルグラは思っている。四年前の冬、腹をすかせたほら穴グマが山からおりてきたとき、父はナイフとこん棒だけで立ち向かった。ナイフで腹をかっさばき、こん棒で頭をぶん殴《なぐ》り、クマを仕留めたのだ。

それからずっと、ほら穴グマの頭は家の暖炉《だんろ》の上に飾《かざ》られていた。スクガロ族のなかで、父さんなら絶対に〈死神ヴァーモンド〉を止められる。イル

グラはそう信じた。

忌《い》まわしいドラゴンに向かって父が雄叫《おたけ》びをあげるのが、騒乱《そうらん》のさなかにあってもイルグラの耳に聞こえてきた。雄叫《おたけ》びにつづくののしり声も。するとヴァーモンドはすべるような素早さで父のほうを振《ふ》り返った。父はひるむことなくドラゴンのほうに向かっていく。そして鋤《すき》のようにとがったドラゴンのあごの横を走りぬけ、かたい首の鱗《うろこ》のすきまに槍《やり》を打ちこんだ。

だが槍《やり》の穂先《ほさき》は刺《さ》さらなかった。金属が石に落ちる音が、谷の底からイルグラのところまで響《ひび》いてきた。

ヴァーモンドが地表を震《ふる》わすほどのすさまじい笑い声をあげる。イルグラは死の恐《きょう》怖《ふ》で手足がつめたくなるのを感じた。ドラゴンは楽しんでいる。イルグラは憤怒《ふんど》のあまり歯ぎしりをした。やつはみじめなわたしたちをあざ笑っているのだ!

戦士の父はあきらめない。ふたたび雄叫《おたけ》びをあげ、鉤爪《かぎづめ》のとどきにくい後ろ足のあいだに駆《か》けこんでいった。

すると怪物《かいぶつ》が後ろ足で立ちあがり、巨大《きょだい》な肺をふくらませた。イルグラはうめいた。青い光のまじった炎《ほのお》の奔流《ほんりゅう》が、イルグラの父をのみこんだのだ。

イルグラの胸は絶望でずっしりと押《お》しつぶされ、目に涙《なみだ》があふれてきた。

しかし、父の犠牲《ぎせい》は無駄《むだ》ではなかった。父がヴァーモンドの気をそらしているすきに、母と妹がドラゴンから逃《に》げられたのだ。狩猟《しゅりょう》の女神ラーナの恩恵《おんけい》により、ヴァーモンドはふたりにはもう興味をしめさず、それよりも群れを追うことに集中した。

部族の者たちがいくら死のうと逃《に》げまどおうと、ヴァーモンドはそれをよそにゆったりと晩餐《ばんさん》を楽しんでいる。イルグラは地べたにすわったまま、泣きながらそれを見ていた。生き残った者たちが痛々《いたいた》しい姿でイルグラのところまで逃《に》げてきた。着ていたものは焼け焦《こ》げ、引き裂《さ》かれ、恐《おそ》ろしい傷を負っている者もいる。みんなでかたまって岩のかげに隠《かく》れ、ヘビから逃《に》げるウサギのように息をひそめていた。

谷間は火の海と化していた。生い茂《しげ》る木々が——高さ数十メートルの節くれだったマツの老木が——オレンジと黄色の火柱となって噴《ふ》きあがる。山々のあいだを燃えさかる炎《ほのお》の音が響《ひび》いている。猛火《もうか》は山肌《やまはだ》を這《は》いあがり、残り火がくるくると尾《お》を引いて空へ立ちのぼっていく。煙《けむり》がもうもうと立ちこめ、灰が雪のように降りつもり、谷間はまるでたそがれが訪れたかのようだ。破壊《はかい》がもたらした暗いとばりは、悲しみによる重さと、怒《いか》りによる苦さで、あたりをおおいつくしていた。

ヴァーモンドは部族のヒツジやヤギやブタをむさぼり食い、腹が妊婦《にんぷ》のように丸々《まるまる》とせり出した。やがてようやく満腹になると、ドラゴンは重い体を持ちあげ薄暗《うすぐら》い空

へと飛び立った。

しかし、飛んでいった先は遠くなかった。腹がふくれたせいなのか、まだ食べ残した家畜《かちく》がいるせいなのか、イルグラには知るよしもない。だが、残忍《ざんにん》な老大蛇《ワーム》は谷を見おろす山に飛んでいったのだ。なかでもいちばん高い山、雪をかぶったクルカラス山に舞《ま》いおりた。そのギザギザした山頂に体を巻きつけ、尾《お》の下に鼻面を押《お》しこみ、最後に炎《ほのお》の息を吐《は》いて、目をつぶった。こうしてドラゴンは眠《ねむ》り、それきり動かなくなった。

イルグラは煙《けむり》の向こうに遠くかすむ黒い巨体《きょたい》――クルカラスの山頂にくっついた忌《い》まわしき腫瘍《しゅよう》――をにらみつけた。憎《にく》しみが胸をつめたくしめつけるのを感じながら、イルグラは自分が知るなかでもっとも恐《おそ》ろしい誓《ちか》いを立てた。目的はただひとつ――〈死神ヴァーモンド〉を殺すこと。クルカラスの大蛇《ワーム》を殺すことだ。

＊＊＊

ようやく安全になったと思われたころ、生き残ったスクガロ族は谷間の南側の、魚の仕掛《しか》けで暮らすジャーの住みかに集まった。女の長老たち〈ハーンダール〉が、これからどうするのがよいか話しあうなか、イルグラは暗いすみにすわって沈黙《ちんもく》していた。長老たちはまず、生き残った男たちのなかから、戦いの隊長を決めた。アーヴォグという、いちばん体が大きく、強く、足の速い男だ。イルグラの父と同じように、アーヴォグも〈任命されし者《アノインティド》〉で、そうでない者たちよりひときわ背が高い。〈任命されし者《アノインティド》〉であるなしにかかわらず、アーヴォグは〈ハーンダール〉の知恵《ちえ》を信じているし、決定するのは彼女《かのじょ》たちなのだ。

ジャーの住みかで身を寄せあってまる三日たったころ、部族はヴァーモンドがもうもどってこないのではないかと思いはじめた。むごくも犠牲《ぎせい》になった者たちで空腹が満たされたのか。あるいは逃《に》げのびた者たちにはもう興味がなくなったのか。そんなところだろう。

身を隠《かく》しているあいだ、〈角持つ者《ホーンド》〉たちは死んだ仲間たちへ追悼《ついとう》の歌をうたい、ジャーの家の祭壇《さいだん》に供え物をして、それぞれの神に祈《いの》りをささげた。なかでもとくに神々の王であるスヴァーヴォクに。いまはかつてないほどにスヴァーヴォクの力が必要だ。イルグラも母や妹とともに――ただ声を出すだけの抜《ぬ》け殻《がら》となるまで――歌をうたい、父の死を悼《いた》んだ。

三日目の終わりに、勇敢《ゆうかん》な者たちが夜の闇《やみ》にまぎれて村へもどっていった。必要なものを集め、生きている者がいないかたしかめるためだ。生きて見つかったのは、ただひとり、彫《ほ》り師のダーヴェクだった。ダーヴェクは指を二本うしなったが、ほかは無事で手を使うこともできた。

さらに四日間、部族はじっと身をひそめて待った。そのあいだも、ヴァーモンドはまったく動くようすがなかった。ときどき鼻の穴から煙《けむり》がプーッと噴《ふ》き出なければ、死んでいるも同然だった。それでもなお、部族はつぎなるドラゴンとの戦いにそなえた。アーヴォグの指示のもと、若木で槍《やり》をつくり、ハナミズキで弓矢をつくり、ゆでた獣《けもの》の皮で鎧《よろい》をつくり、ナイフの刃《は》を研いだ。イルグラはドラゴンを倒《たお》すためならどんなことでも手伝うと決め、戦闘《せんとう》の準備に没頭《ぼっとう》した。

というのも〈ハーンダール〉はこう取り決めたからだ――谷はわれら部族のもの。ゆえにわれらはここにとどまる。ヴァーモンドは死すべき侵入者《しんにゅうしゃ》である。部族の所有物はすべて、クルカラス山のふもとの小さな谷間にある。くわえて、もしわれらがこの地を去れば、早晩、敵対する部族の領地に侵入《しんにゅう》せざるをえなくなる。多くの者をうしなったいま、スクガロ族が武力で新しい領地を勝ち取ることはきわめてむずかし

い。

　ヴァーモンドに対しても、野戦でまともにぶつかって倒《たお》せる望みはない。だが、火をかこんで話し合ううちに、罠《わな》や細工を使う話が盛りあがり、みな無謀《むぼう》なほど楽観的になっていった。そして、もっともうまくいきそうなのは、クルカラス山にのぼり、ドラゴンが寝《ね》ているあいだに目玉を突《つ》き刺《さ》すことだ、と意見がまとまったのだ。

　しかし、まずは村に残されたままの死者たちのことが心配だ。きちんとした儀式《ぎしき》をしなければ死者の魂《たましい》は安らかに眠《ねむ》れないし、ヴァーモンドに殺された仲間に呪《のろ》われるようなことはしたくないと、スクガロ族のだれもが思っていた。もちろん、駆《か》り立てるものは恐《おそ》れだけではない。悲しみと敬意もあった。

「素早く行動すれば」アーヴォグはいった。「ヴァーモンドが目を覚ます前に仕留められる」

　イルグラは死んだ仲間の遺体をさがす部隊にくわわろうと決意した。父の亡骸《なきがら》が――もしそれが残っていたとして――野外にさらされたまま、鳥や獣《けもの》に食べられるかもしれないと想像すると、言葉にできないほどいやな気持になる。そんなことはまちがっている。正すべきものだ。

　たくわえられた武器のなかから、イルグラは槍《やり》を選んだ。その穂先《ほさき》を自分の血で清

め、ゴーゴス——復讐《ふくしゅう》と名づけた。

母は、イルグラがまだ若すぎるからと反対した。「おまえはまだオスティム（初潮）も迎《むか》えていないし、力試しにも通っていないのよ。力試しを終えた者たちにまかせて、おまえはここで待ちなさい」

だがイルグラはいうことをきかなかった。「いやよ。わたしにだって角がある。ほかの者たちが行動を起こすのに、すわってちぢこまってるわけにいかないわ」

そうして母を振《ふ》り切り、イルグラはアーヴォグの部隊とともに火のそばに立った。彼《かれ》らはイルグラを追い返すことなく、よろこんでまねき入れてくれた。頭数が少なく、助けになるものならだれでもくわわってほしかったのだ。

八日目の朝、アーヴォグひきいる部隊とイルグラは身をひそめつつ、煙《けむり》のくすぶる廃墟《はいきょ》と化した村へもどった。平地もふもとの丘《おか》も火は消えて、黒焦《くろこ》げの地面だけが残されていた。多くの建物がまだ残っていたが、無事だった家などほとんどない。屋根のわらがはがされていたり、壁《かべ》が押《お》しつぶされていたり、はりが折られていたり。どの家もすすで黒く、煙《けむり》のいやなにおいがした。

惨状《さんじょう》のただなかで遺体を探し出すのは、容易なことではなかった。何組かにわかれてがれきをかきわけ、踏《ふ》みつぶされた土を取りのぞいては、いくつもの忌《い》まわしい発

見に行きついた。血痕《けっこん》に骨の破片……愛する者たちの体の一部が残っているのは、ドラゴンが殺りくのさなかに食べこぼしたものだ。だれの遺体の一部なのかさえわからない。アーヴォグは村の中央に亡骸《なきがら》のかけらを集めさせ、そこでしかるべき火葬《かそう》の場をつくった。

　イルグラはまる半日のあいだ、ほかの者といっしょに作業をつづけたが、なにかきかれたり指示されたりするとき以外は、ずっと無言だった。やがて休憩《きゅうけい》時間がきたが、休みを取らず、破壊《はかい》された自分の家へ向かった。

　そこで、焼け焦《こ》げて積みかさなったはり材のわきに、父の遺体とおぼしきものを見つけた。ねじまがって、ほとんど判別できないその体は、ドラゴンの炎《ほのお》で黒焦《くろこ》げになっている。耐《た》えがたいほどに激しい悲しみと憤《いきどお》りが胸を突《つ》き刺《さ》した。イルグラは遺《い》骸《がい》の前で泣きくずれた。

　生まれてからずっと、父が家族を守ってくれていた。なのに、あの忌《い》まわしい瞬《しゅん》間《かん》、邪悪《じゃあく》な大蛇《ワーム》が襲《おそ》ってきたとき、イルグラは父を守ることができなかった。もう二度と正すことのできないあやまちだ。自分は死ぬまでその苦悩《くのう》にさいなまれるのだ。

　表面が焦《こ》げて色が変わっていたが、父の左の角は無傷だった。なんとかその場を立ち去る気持ちになったとき、イルグラは父の死出の旅が安らかであるようにと祈《いの》りを

こめ、神々に歌を捧《ささ》げながら父の頭から角を切り取った。

そして父の遺骸《いがい》を集め、村の中央の火葬場《かそうば》へ運んだ。腕《うで》のなかにある亡骸《なきがら》の重みは、もはや忘れることのできない重みだった。

つらい捜索《そうさく》は夕方おそくまでつづいた。やがて仲間たちの打ちのめされた肉体を最後のひとかけらまで集めると、深い悲しみと畏敬《いけい》の念をもって、それらを火葬《かそう》の場に置いた。イルグラと仲間の部隊はしきたりどおり儀式《ぎしき》をおこない、積みあげられたまきの山にアーヴォグが火をつけた。

それは勇敢《ゆうかん》な戦士たちにふさわしい弔《とむら》いの儀式《ぎしき》だった。年若い子どもでさえ、死者はみな戦士だった。憎《にく》きドラゴンに戦闘《せんとう》で殺された戦士なのだ。襲撃《しゅうげき》や格闘《かくとう》試合で命を落とすのと同様、〈角持つ者《ホーンド》〉の名において名誉《めいよ》を勝ちとろうとして死んだ者たちと同じ尊敬を受けるべきなのだ。

まきの山が赤く燃えあがる。アーヴォグは前へ歩み出て、偉大《いだい》なるクルカラス山に向かって――そして、その頂《いただき》に居座るヴァーモンドに向かって――のどをむき出し、大きなうなりをあげ、渓谷《けいこく》じゅうに怒号《どごう》をとどろかせた。仲間たちやイルグラもそれにくわわり、山に向かってのどが裂《さ》けんばかりの雄叫《おたけ》びをあげた。ドラゴンの怒《いか》りをかき立てるかもしれない愚《おろ》かでむなしい行為《こうい》だった。だが、知ったことではなかっ

た。

　大音声におどろいて木々のワタリガラスがバタバタと飛んでいった。ヴァーモンドはというと、たとえ眠《ねむ》りをさまたげられたとしても、そんなそぶりは見せなかった。下の谷のことにはまったく気づかない――いや、まったくの無関心というようすだった。

　部隊は火が燃えているあいだじゅう火葬《かそう》の場を見張り、夜が来るとつめたい地面に野営を張った。イルグラはどうしても眠《ねむ》る気になれなかった。槍《やり》をにぎりしめたまま火の柱を見守り、クルカラスの山頂に巻きつく真っ黒な一片をにらみつけていた。

＊　＊　＊

　空にまだ星がちらつき、東の山脈の上に早朝の薄明《うすあ》かりが見えてくるころ、アーヴォグと六人の戦士たちがヴァーモンドの息の根をとめるべくクルカラス山にのぼっていった。

イルグラもいっしょに行って復讐《ふくしゅう》を果たしたいと必死で願い出た。しかしアーヴォグは、まだ若く経験の浅いイルグラが同行することをみとめなかった。「やつに気づかれず仕留めるチャンスは一度きりしかないんだ」

それはイルグラもみとめざるを得なかった。

アーヴォグはいった。「心配するな、イルグラ。神々の王スヴァーヴォクの恩恵《おんけい》により、きみは今日、やつの血の味を堪能《たんのう》するだろう。部族のみんながそうなるはず」

イルグラはうなずいたが、心には不満がくすぶっていた。たしかに自分はまだ若いし、力試しもすんでいない。でも、腹のなかで燃えたぎる怒《いか》りはだれにも負けない。最強の〈角持つ者《ホーンド》〉とくらべても――たとえ背丈《せたけ》で負けても――気力では引けを取らないはずなのに。

アーヴォグ率いる総勢七人の戦士が出発していった。イルグラと残る部隊は、炭の墓のかたわらで沈黙《ちんもく》のまま彼《かれ》らを見送った。

ヴァーモンドを討つのは真昼がいいと決めてある。ドラゴンは、大型のヤマネコなどと同じように、早朝や夜間に狩《か》りをする。太陽が高くのぼっているあいだはもっとも深く眠《ねむ》りに落ちている。つまり、いちばん隙《すき》だらけで弱いはずなのだ――あのように巨大《きょだい》なドラゴンを弱いと表現できるならばだが。

クルカラスは難攻不落《なんこうふらく》の山だ。屈強《くっきょう》で忍耐強《にんたいづよ》いスクガロ族の〈角持つ者《ホーンド》〉といえど、その頂《いただき》にたどり着くのは容易ではない。道は足場が悪く、急な斜面《しゃめん》がつづき、尾《お》根《ね》はせまく、岩はどこもかしこも崩《くず》れやすい。スクガロ族のなかでも、なにかの啓示《けいじ》か名誉欲《めいよよく》か狂気《きょうき》にでも駆《か》られないかぎり、クルカラスを制覇《せいは》しようとする者はいなかった。ただしイルグラが生まれてから知っているかぎり、ひとりだけ登頂をこころみた者がいた。ナルヴォグという名の若い戦士だった。ナルヴォグは戦いで自分の力を証明できなかったので、べつの偉業《いぎょう》で力を証明しようとしたのだ。しかしその挑戦《ちょうせん》に失敗し、村から逃《に》げた。以来、ナルヴォグの姿を見た者はいない。

　戦士たちの帰りを待つあいだ、イルグラとほかの仲間たちはがれきをかきわけて、生活に必要なものや貴重品を探し出すことに専念した。どんよりとした寒い日で、ときおり雨が降ってくる。

　骨に寒さがしみてきた。イルグラは食物小屋のかげにしゃがみこみ、オオカミの毛皮のマントを肩《かた》にきつく引きよせた。そしてまたクルカラスと山頂のヴァーモンドに目を向けた。しかしアーヴォグと一団の動きはなにも見えない。耳をすましてもさけび声や戦闘《せんとう》の音は聞こえてこなかった。

　一日がだらだらと過ぎていった。

真昼近くになると、仲間のひとりヤージェクが山頂から音が聞こえたといいだした。なにかぶつかるような、さけぶような音だったという。だが廃墟《はいきょ》の村にいる仲間のだれひとりとして音を聞いた者はいない。イルグラも空耳だろうと思った。そのすぐあと、クルカラス山から煙《けむり》のようなものがふわりと立ちのぼるのを見つけたが、よく見ると、煙《けむり》ではなく風に吹《ふ》かれたちぎれ雲だった。

ぎざぎざの地平線に太陽が近づくころになると、アーヴォグの部隊はまだ作戦をやりとげていないか、あるいはまったくの失敗に終わったか、そのどちらかだろうと思えてきた。

イルグラもほかの者たちも意気消沈《いきしょうちん》して、火葬跡《かそうあと》のまわりに集まった。谷間に夕闇《ゆうやみ》がおりてくるなか、みななにもいわずに背中をまるめてそこにすわりこんだ。

うつろな月が山の上に現れるころ、彼《かれ》らは近づいてくる足音に気づいた。クルカラスの山道をおりてきたのは、出発した戦士七人のうちの四人だった。みな泥《どろ》や血にまみれていた。暗い顔をして、足を引きずり、腹をすかしているようだった。アーヴォグともうひとりの〈任命されし者《アノインティド》〉が、足首を折ったらしき戦士をかかえている。アーヴォグ自身もひたいに深い傷を負っている。

イルグラはその傷に目をうばわれた。アーヴォグの顔立ちがいっそうすごみを増し

ている。「なにがあったの?」イルグラはたずねた。

傷ついた仲間を地面におろし、アーヴォグはこたえた。「ドラゴンに気づかれた。音かにおいか、どっちに気づいたのかわからない。近くまで行くと、やつは尻尾《しっぽ》を振《ふ》りあげ、上からたたき落としてきた。四人はかろうじてつぶされずに逃《に》げたが、ほかの者は……」アーヴォグはかぶりを振《ふ》った。「そのあと、やられた仲間の体に近づくこともできなかった」

イルグラは顔をふせて悲しみに沈《しず》み、仲間たちの死を悼《いた》んだ。彼《かれ》らの魂《たましい》がいつの日か安らかに死出の旅につけますように、と祈《いの》った。

残された部隊は重苦しい面持ちで、暗い雨のなか村をあとにした。ジャーの住みかにもどると、アーヴォグは部族の者たちに遠征《えんせい》の一部始終を報告し、それによって〈ハーンダール〉は決定をくだした――〈死神ヴァーモンド〉から逃《のが》れるための、よりよき策を思いつくまでは、あるいは思いつかないかぎり、部族は老練な大蛇《ワーム》によけいな手出しをしない。

イルグラは決定に不満だった。だがなにか提案があるわけでもない。口をつぐむしかなかった。

〈ハーンダール〉いちばんの年寄り、〝九本指《エルガ・ナインフィンガーズ》〟のエルガがいった。「ヴァーモンド

が怒《おこ》ってあとを追ってこなかったのは幸いだった。しかし安心はしておられぬ。ドラゴンの記憶《きおく》は永くつづく。執念深《しゅうねんぶか》いことで知られておるからな」

一同がうなずいた。

さらにそのあと、母と妹といっしょにいるとき、イルグラは父の頭から切り離《はな》してきた角をふたりに見せた。父の角はイルグラが長子として受け継《つ》ぐものだが、ヤーナはそれをさわりながらいった。「持ってきてくれてほんとによかった」ヤーナの目に涙《なみだ》が浮《う》かぶ。イルグラは妹の悲しみがどれほど深いかを知った。自分の悲しみと同じぐらい深かった。

＊ ＊ ＊

数日が過ぎた。そのあいだ、部族の者たちはクルカラスの頂《いただき》に居座るドラゴンを、なるべく無視して過ごした。かわりに、彼《かれ》らは襲撃《しゅうげき》で生き残った家畜《かちく》のあとを追って捕獲《ほかく》した。また、種子やいろいろな材料となるものをできるだけたくわえた。

また、こわされたとはいえ雨風をふせげる住みかのある者たちは、すこしずつ村へもどっていった。

イルグラの父は有能なハンターであるとともに、〈任命されし者《アノインティド》〉における〈真実の語り手〉だった――とても重要な地位だ。父を亡くし、家が破壊《はかい》されたいま、イルグラの家族は母の弟のバージクァの家へ身を寄せるしかない。母に顔かたちも気性もよく似た弟だ。

バージクァの厚意に甘《あま》えなければならないことが、イルグラは心苦しかった。だが選択《せんたく》の余地はなく、魚のにおいのしみつくジャーの家に居座らずにすんだのもありがたかった。

夕方、時間があくと、イルグラは父の角を持って小川にいった。そして水の流れの速いところにひたした。やわらかくなった髄《ずい》をかき出し、貝のようになめらかになるまで、角の内側を熱した石でこすった。それから、彫《ほ》り師のダーヴェクのところに角を持ってゆき、クマの太腿《ふともも》の骨で口金をつくってもらった。ダーヴェクは鐘《かね》の部分にイルグラの家族の歴史を編み模様できざみ、真ん中に革の持ちひもをつけてくれた。

すべてしあがると、イルグラの心に不思議な感動が広がった。口金に唇《くちびる》をあて、思いきり息を吹《ふ》く。堂々《どうどう》とした音が大きく、深く、とどろいた――向かいくる者すべてに挑《いど》みかかるような音だ。そのなかに父の声の響《ひび》きを感じ、やるせないよろこびで涙《なみだ》があふれてきた。

ヴァーモンドによる殺戮《さつりく》から二週間がたったころ、南方から流浪《るろう》の祈祷師《シャーマン》がやってきた。背は低いが、がっしりとした体格の男で、角は耳のまわりで二重に巻いている。名をウルクロといった。たずさえた杖《つえ》にはルーン文字がきざまれ、その節くれだった木のなかに持ち主の親指ほどのサファイアがひと粒《つぶ》埋《う》めこまれていた。ウルクロはヴァーモンドの話を聞きつけて来たと告げ、自分ならドラゴンを殺せるといいはなった。

イルグラは腹が立った。もし〈死神ヴァーモンド〉を殺す者がいるとしたら、それは自分であるべきなのに。だが、そんな欲望はわがままだとわかっている。だからイルグラは口に出さなかった。シャーマンが暖炉《だんろ》の火に杖《つえ》を向け、思いどおりに炎《ほのお》を踊《おど》らせるのを見たときは、震《ふる》えあがった。イルグラにとって魔術《まじゅつ》は理解できないものだった。信用できるのは骨や筋肉であって、呪文《じゅもん》や秘薬ではないのだから。

翌朝、ウルクロはドラゴンと対決するためにクルカラス山へのぼっていった。見送りに出てきた村の者たちはみな、言葉もなく表情はけわしかった。悲しみが大きすぎて、声援《せいえん》を送ることも希望を持つこともできなかったのだ。ウルクロは彼《かれ》らの静寂《せいじゃく》を

打ち消すべく、ふざけて冗談《じょうだん》をいってみたり、魔術《まじゅつ》を披露《ひろう》したりした。さらに最後には、杖《つえ》から放った稲妻《いなずま》で若木を切り裂《さ》いて地面に倒《たお》してみせた。それを見た村の者たちは、やっと沈黙《ちんもく》をやぶり、力をこめた雄叫《おたけ》びでシャーマンの出発を見送った。

その日の夕方、沈《しず》む夕日が山々の峰《みね》を横切って差し、谷間が紫色《むらさきいろ》に陰《かげ》るころ、ヴァーモンドの咆哮《ほうこう》が聞こえてきた。イルグラは戦慄《せんりつ》をおぼえ、家族とともに外へ飛び出した。スクガロ族のみんなも同じだった。

クルカラスの山頂で、琥珀色《こはくいろ》の空を背に巨大《きょだい》な大蛇《ワーム》が漆黒《しっこく》の翼《つばさ》を広げ、後ろ足で立ちあがっていた。頭のまわりには稲妻《いなずま》が取り巻き、口からは炎《ほのお》を噴《ふ》き出している。それはまるで、突風《とっぷう》を受けてはためく怒《いか》りの旗のようだ。ドラゴンのまわりには異様な影《かげ》がまとわりついていた。クルカラスの山肌《やまはだ》からは岩盤《がんばん》がはがれ、崖下《がいか》の森に落ちてくだけている。

少なくともシャーマン・ウルクロについていえるのは、彼《かれ》は臆病《おくびょう》でも弱虫でもなく、魔術《まじゅつ》はうまくはたらいたということだ。緊迫《きんぱく》のその時間、ドラゴンとの戦いは熾《し》烈《れつ》をきわめた。やがて森のなかに、死にゆく鳥のようなうつろなさけびが響《ひび》き、クルカラス山から赤い閃光《せんこう》がパッと燃えあがった——その巨大《きょだい》なのろしの輝《かがや》きは、幾重《いくえ》もの雲をつらぬき、天空をもつきやぶるほどだった。光は一瞬《いっしゅん》で消えた。ヴァーモンド

の勝利の咆哮《ほうこう》が聞こえ、その後すべての音がやみ、すべてが静寂《せいじゃく》に包まれた。

　夜明けの光が差すころ、ウルクロの戦果がないかたしかめるために、イルグラは村の仲間たちとともに恐《おそ》る恐《おそ》る外へ出た。北に目を向けると、クルカラス山頂のとがった岩には、昨夜のできごとなどなにもなかったかのように、ふたたびヴァーモンドの鱗《うろこ》の体が巻きついていた。

　イルグラは体のなかに絶望という灰色の液体が染み出てくるのを感じた。そしてゴーゴス、〝復讐《ふくしゅう》〟と名づけた槍《やり》を見つめながら思った。わたしがヴァーモンドを倒《たお》す望みなんて、はたしてあるのだろうか？　しかし、あきらめるのはイルグラの性分ではない。自分は父さんの娘《むすめ》なのだ。父の名にかけて、復讐《ふくしゅう》を果たすことを誓《ちか》うのだった。

＊　＊　＊

ウルクロが敗れたことでふたつのことがあきらかになった。ひとつ目は、ヴァーモ

ンドがこの先ずっとクルカラス山に居座って、腹が減るまで寝《ね》るつもりだということ。ふたつ目は、ドラゴンは剣《けん》や槍《やり》、斧《おの》、弓の攻撃《こうげき》ばかりか、魔術《まじゅつ》の攻撃《こうげき》にも動じないということ。

スクガロ族にとってあまりにも残念な事実だった。ドラゴンの翼《つばさ》を捕《と》らえられるほど大きな、重りつきの狩猟《しゅりょう》の網《あみ》をつくろうという話も持ちあがった。しかし夏から秋へと変わる季節に、彼《かれ》らが真っ先にやらなければならないのは、山のきびしい冬を乗りこえるための準備だった。

というわけで、スクガロ族はドラゴンを倒《たお》す計画をひとまずわきに置いた。そして、危険はじゅうぶん承知のうえで、まずは村を立てなおす作業に取りかかった。今回はこれまでのように木を使うのではなく、なるべく石を使った。狩《か》りや襲撃《しゅうげき》や、部族内の強者を決める戦いなどを好む男たちにとって、それは退屈《たいくつ》な作業だった。だが彼《かれ》らはやりとげた。それぞれに新しい家が建ちあがった。

スクガロ族はまた、山麓《さんろく》の丘《おか》のいたるところに隠《かく》れ穴を掘《ほ》り、そこにじゅうぶんな食糧《しょくりょう》をたくわえた。弱い獲物《えもの》のようにものを隠《かく》すのは、彼《かれ》らの性分——〈角持つ者《ホーンド》〉はいかなるものにも頭をさげない——に相反することだが、必要にせまられてそうするしかなかった。若者は生きのびねばならないし、翌年の作付けのために種をとって

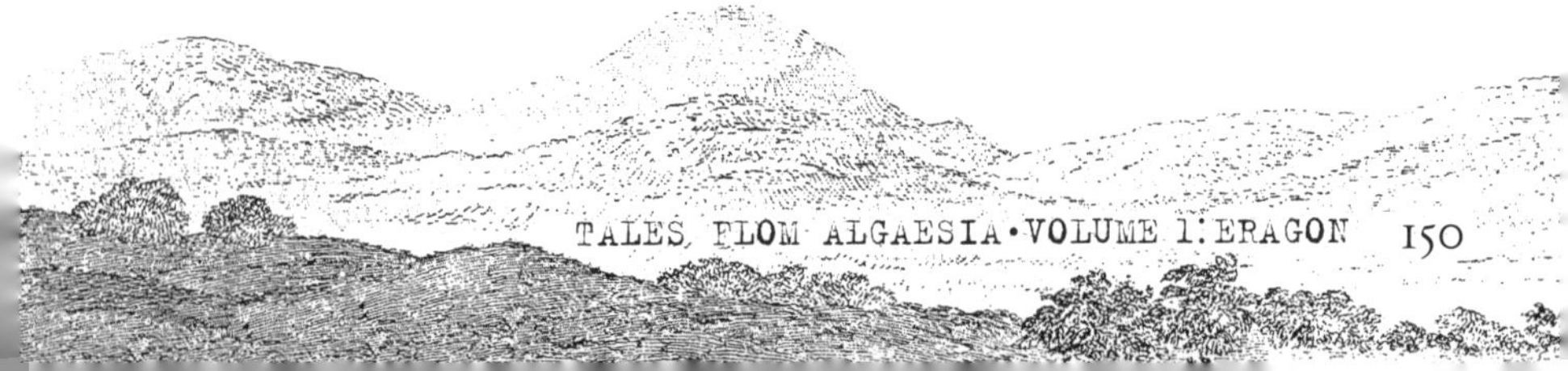

おかなければならない。

　そして彼《かれ》らは昼夜を分かたずつねにクルカラス山を監視《かんし》した。ふたたびヴァーモンドがおりてきたら、警報を発せられるように。

　イルグラはひんぱんに見張りに立った。見張り番ではないときには、石を切り出したり、わずかばかりの作物を抜《ぬ》いたり、家畜《かちく》の世話をしたりなど、いろいろな仕事をこなした。仕事がないときは、もっぱら槍《やり》の練習にはげみ、アーヴォグやほかの戦士たちから戦い方を学ぶことに専念した。〈角持つ者《ホーンド》〉は戦い好きな種族。男であろうと女であろうと武器使いを訓練するのがならわしだ。イルグラはだれよりも熱心に練習に取りくんだ。母にとがめられながらも、家の仕事を放っては、男たちと勝負することに没頭《ぼっとう》し、いつしか最強の者にも負けないほどになった。

　その年はそうやっていつのまにか過ぎていった。イルグラの家族は仲間の助けも借りて、新しい家を完成させた。おかげで、寒くなる前に住みやすい場所にととのえることができた。ヴァーモンドはあいかわらずクルカラス山の上で、ぐっすりと眠《ねむ》りをむさぼっている。たまにその体をずらすと山から地鳴りが聞こえ、いびきをかくと氷や雪がはがれ落ちた。とくに激しい息を吐《は》いた夜は、雲の下に炎《ほのお》が光ることもあった。

当然のなりゆきとして、若者たちは名をあげるため、クルカラス山にのぼってドラゴンに近づき、起こすことなく石で印をつけて帰ってくるという度胸試しをはじめた。〈ハーンダール〉はこれをよしとしなかったが、反対してもとめられなかった。

イルグラも最初は、この無謀《むぼう》な登山をこころよく思わなかった。けれどやがて、それが自分にとっては好都合だと気づいた。なぜなら、彼《かれ》らのおかげでヴァーモンドがたまにやってくる訪問者に慣れるからだ——もしほんとうにドラゴンが訪問者を気にかけたとしてだが。それに、山頂にたどり着いた者たちの話は、同じことをやろうとしている自分にとって役に立つ。若い戦士たちがもどってくるたびに、イルグラは好《こう》奇心《きしん》むき出しで話にくいつき、心のなかで道すじを描《えが》き、寝《ね》ているドラゴンに忍《しの》びよるようすを思い浮《う》かべ……。

ドラゴンにもっとも近づいた最高記録は、翼《つばさ》のすぐそばまで到達《とうたつ》した者だった。そこから先は花崗岩《かこうがん》の岩くずがごろごろと積みかさなったガレ場で、音を立てずに越《こ》えるのは不可能だ。なので、どんなに自信満々《じしんまんまん》な〈角持つ者《ホーンド》〉でもこころみる者はいなかった。

イルグラ自身は、ヴァーモンドを倒《たお》せると確信できるまでは、あえてクルカラス山にのぼるつもりはなかった。だから、じっと耐《た》えて待った。

しかし、平和がいつまでもつづくことはない。部族の者たちはそれをわかっていた。みな運命のときが迫《せま》るのを感じながら過ごし、神経をすりへらすのだった。

＊＊＊

初雪が降った日、悪夢が現実となった——ヴァーモンドが目を覚ましたのだ。ドラゴンはすさまじい咆哮《ほうこう》をあげて翼《つばさ》を広げ、空へ舞《ま》いあがった。白く輝《かがや》くクルカラス山の上空を気だるげに旋回《せんかい》したあと、吹《ふ》きつける風の音とともにゆっくりと降下してきた。

部族はいっせいに逃《に》げだした。イルグラもヤーナの手をにぎり、もう一方の手に槍《やり》ゴーゴスをつかんで逃《に》げた。母も急いでついてくる。みなそれぞれの隠《かく》れ穴へ走った。そしてドラゴンが村の家々《いえいえ》のあいだや所有地をうろつくあいだ、身を寄せあって隠《かく》れていた。今回は、だれひとりとしてヴァーモンドに立ち向かう者はいなかった。男たちは悪態をついたり武器を振《ふ》りあげたりするものの、隠《かく》れ穴から飛び出しはしな

かった。

鱗《うろこ》におおわれた老ドラゴンは、シカやヒツジなどあらゆる動物で腹を満たしながら、谷間をのろのろと進んでいく。ただ、食べる量は前回にくらべると少なく、炎《ほのお》も川辺に一度小さいのを噴《ふ》いただけだった。

やがてヴァーモンドはネコのようにザラザラした舌で舌なめずりをした。そして満足したように飛びあがり、ふたたび気だるげに何度か空を旋回《せんかい》したあと、クルカラス山頂にもどっていった。山頂にもどると煙《けむり》を一回フッと吐《は》き、尾《お》の下に鼻先を押《お》しこみ、深紅の目を閉じた。

イルグラは半信半疑のまま、隠《かく》れ穴から這《は》い出てみた。部族に怪我《けが》を負った者はなく、失った家畜《かちく》も彼《かれ》らが食うに困るほどではなかった。

〈ハーンダール〉の長老たちは話しあい、やがてエルガがうなずいていった。「これぐらいなら耐《た》えられよう」

たしかにそのとおりだ。耐《た》えるのはイルグラの好みではないし、スクガロ族のだれもが好まない。だが、それでも食われるよりマシだ。

冬から春になり、春から夏になり、そしてまた夏から冬へと季節がめぐった。村の者たちは狩《か》りをして、作物を育て、子作りをして、また強い部族にもどっていった。

はるか上空、クルカラス山頂の黒い疫病《えきびょう》ヴァーモンドは、のしかかるようにそこにいて、たえず部族の目にとまり、話にのぼりはするが、差し迫《せま》った脅威《きょうい》となることはなかった。その存在に慣れてくるにつれ、スクガロ族はヴァーモンドを生き物というより、景色の一部として見なすようになってきた。部族にとって、ドラゴンは自然の力と変わりないもの——予告なく襲《おそ》ってくる猛吹雪《もうふぶき》や疫病《えきびょう》と同じで、ふだんは気にせずにいたほうがいい。

もしたずねられたら、スクガロ族はいまでももちろん、ドラゴンを倒《たお》したいとこたえるだろう。夜になれば、いっとき論じられたあの狩猟《しゅりょう》の網《あみ》をつくるため糸をよりあわせている。しかし、ちょっとやそっとの期間ではとてもつくれるような長さではなく、網《あみ》はいまだ未完成のままだ。

じつのところ、ヴァーモンドはたまに目を覚まし、火を噴《ふ》きながら猛然《もうぜん》と飛んできて、家畜《かちく》の群れを襲《おそ》うことがある。もし部族のなかに愚《おろ》かにも挑《いど》みかかる者がいれば、同じように食われてしまうだろう。それでも、部族の生活のなかで、ヴァーモンドの襲撃《しゅうげき》はいちばん重要なことではなかった。まき割りはいまもなお必要だ。家畜《かちく》はいまもなお、オオカミやクマや目ざといヤマネコから守らなければならない。作物の世話も必要だ。生きるために必要な日々の仕事が、なによりも優先するのだ。

イルグラはそれがいやだった。現状に満足していることが、腹立たしくてならなかった。イルグラの血は復讐《ふくしゅう》をもとめていた。復讐《ふくしゅう》が先延ばしになる一瞬一瞬《いっしゅんいっしゅん》がもどかしかった。もっと腹立たしいのは、部族のなかに、ヴァーモンドのことを敬意をこめた口調で、まるでやつが尊敬にあたいするかのように話す者が出てきたことだ。クルカラスの山すそで家畜《かちく》の群れを追って牧草地を移動するとき、大食いのドラゴンに捧《ささ》げる食べ物や飲み物をそなえた小さな祭壇《さいだん》を見つけたことが何度かある。イルグラはそれらをすべて破壊《はかい》した。だれがつくったものかわかれば、体じゅう傷だらけになるまでその者たちを槍《やり》ゴーゴスでたたきのめしてやっただろう。

イルグラは武闘《ぶとう》の訓練をつづけた。めきめきと力をつけ、技も上達していった。アーヴォグと格闘《かくとう》の稽古《けいこ》をするのはドラゴンと戦うためではないが、そのおかげで自分の力量にどんどん自信を持てるようになってきた。

冬の終わりごろ、イルグラにオスティム（初潮）の日がおとずれた。通過儀礼《つうかぎれい》として部族全員と対戦して勇気を証明しなければならなかった。イルグラは恐怖心《きょうふしん》をおさえ、自分を見失わず、最後までやりとげた。そして〈ハーンダール〉にスクガロ族の正式な一員としてみとめられた。

しかし力試しの儀《ぎ》はとても過酷《かこく》だった。本来そういうものなのだ。イルグラは家の外へ出られるくらい回復するまでに七日かかり、胸の負傷が癒《い》えるにはそれからさらに三日かかった。イルグラはそうした傷を名誉《めいよ》のしるしと受けとめた。いまここで父に見せられたらどんなによかったかと思うのだった。きっと誇《ほこ》りに思ってくれただろう。きびしい試練のあいだじゅう、一度も泣いたりしなかった。一度たりとも。

力試しを終えると、イルグラは槍《やり》ゴーゴスをじゅうぶん使いこなせるようになり、ついに目的に向けて行動する準備ができたと感じた。それでもさらに、冬が終わり、クルカラスの山頂の雪がほぼ溶《と》けるまでじっと待った。やがて空気が暖かくなり、田畑が緑におおわれるころ、ある日の夕方、イルグラはやけど用の軟膏《なんこう》とベリーとチーズと干し肉を巾着《きんちゃく》につめた。そしていま一度、ゴーゴスの穂先《ほさき》を、軽く触《ふ》れただけで毛束が切れるくらいに研いだ。革の鎧《よろい》はブラシをかけてきれいに磨《みが》き、暖炉《だんろ》の火で光るほどオイルを塗《ぬ》った。

母と妹には計画を告げなかった。ただふたりの額に口づけをして寝床《ねどこ》に入った。

夜明け前の灰色の空に鳥のさえずりが響《ひび》くころ、イルグラは起きて家を抜《ぬ》け出し、朝の冷たい空気のなか、クルカラス山を見あげた。

村を静かに通りぬける。そのあいだ、だれもイルグラに注意をはらう者はない。見張り番のラージャグにさえ気づかれなかった。森のはずれまでたどり着くと、クルカ

ラスの山腹をのぼるため、土と岩の尾根《おね》をめざして歩調を速めた。シャーマンのウルクロがたどったのと同じ道すじだ。そのことを思うと、ふと足がとまった。

　それでも、心のなかに興奮がわき起こる。ついに行動を起こせるというよろこびで、足取りも軽く前へ進みだした。

　アーヴォグの部隊もウルクロも失敗した。にもかかわらずイルグラは、自分は同じ轍《てつ》を踏《ふ》むことなく、成功できると信じていた。その自信の根拠《こんきょ》は単純だ――彼女《かのじょ》はヴァーモンドと正面切って戦うつもりはないからだ。（復讐《ふくしゅう》のためならよろこんで命をかける覚悟《かくご》はある。だが見込《みこ》みもない戦略で無駄死《むだじ》にする気などない）それに、アーヴォグたちの作戦が失敗したのは、七人の戦士が岩場で足音を立てたせいだと、確信していた。ひとりでクルカラスにのぼった男たちは、ヴァーモンドの目を覚ますことなく度胸試しをやりとげている。ゆえに、イルグラもやりとげられると思った。自分ひとりなら、〈角持つ者《ホーンド》〉のどんな集団にもできないほど静かにのぼれるし、ほかにも、気づかれないようにするための方法が……。

　とにかく、いかにしてヴァーモンドのかたいまぶたの下に素早く槍《やり》ゴーゴスを突《つ》き刺《さ》し、死にいたらせるか、にかかっている。ひと突《つ》きでドラゴンの脳に達するほど深く刺《さ》さなければならないが、イルグラは――父に教わった記憶《きおく》をもとに――成功できると信じて疑わなかった。

コケにおおわれた溝《みぞ》に湧《わ》き水が流れる小さな川を見つけ、革袋《かわぶくろ》に水を満たすため足をとめた。つめたい水のなかに革袋《かわぶくろ》を入れ、深く息を吸って小川のにおいを嗅《か》ぎ、木や石の上をサラサラと流れるおだやかな音に耳をすました。こんななにげない楽しみを味わえるのも、これが最後かもしれない。

シダやイバラの茂《しげ》みをぬけ、坂道や尾根《おね》をのぼり、山の鞍部《あんぶ》や切り立つ崖《がけ》を越《こ》え、どんどん進んだ。眼下の村はやがて子どものオモチャのように小さなかたまりとなった。むきだした岩に幾度《いくど》となく行く手をはばまれる。そのたびに、もし手をすべらせれば命を失いかねないと知りつつ、不安定な手がかりを頼《たよ》りにのぼった。太陽は一日じゅうじりじりと照りつけ、眉《まゆ》の上にたまった汗《あせ》がたれてきて、目にしみた。歩きながら食べ物は補給したが、腹にもたれないようひかえめに食べた。

クルカラスはひどくけわしい山だ。のぼっているあいだヴァーモンドの巨体《きょたい》は山のかげに隠《かく》れてほとんど見えなかった。ただ、眠《ねむ》るドラゴンのいびきやうなり声は聞こえてきた。ドラゴンが体をずらすと山の奥深《おくふか》くがきしみ、おびえた鳥たちが木の枝から飛んでいった。

そしてついに、とうとうヴァーモンドの姿が視界に現れた。最初に見えたのは、ク

ルカラスの山肌《やまはだ》に巨大《きょだい》な黒い崖《がけ》のように張り出す、鋭《するど》い突起《とっき》のついた尻尾《しっぽ》の一部だった。つぎに見えたのは、どんな獣《けもの》の皮よりも分厚い翼《つばさ》だ。網《あみ》の目のように広がる血管はイルグラの足ほど太い。最後に、前足の巨大《きょだい》な白い鉤爪《かぎづめ》——まるく曲がった鉤爪《かぎづめ》はのこぎり歯のようにギザギザして、先端《せんたん》は恐《おそ》ろしくとがっている——が見え、その上にドラゴンのくさび形の頭が、尻尾《しっぽ》に半分隠《かく》れて見えた。巨大《きょだい》なネコの巣を思わせる、強烈《きょうれつ》な麝香《じゃこう》のにおいがドラゴンの体にからみついている。警戒心《けいかいしん》を呼びおこすにおい、肉食獣《にくしょくじゅう》のにおいだ。

イルグラはそこでいったん足をとめた。そしてヴァーモンドを遠目でとらえ、最後の準備に取りかかった。よけいな音を立てないように、足にボロ布を巻きつける。山頂付近のわずかに露出《ろしゅつ》した土に水をかけ、その泥《どろ》を塗《ぬ》りつけて自分の体臭《たいしゅう》を消す。シカ狩《が》りならマツの葉を使うところだが、高山にはコケ類や地衣類しか生えていないのでその代用だ。しあげに、煙《けむり》のにおいをつけるため、家の暖炉《だんろ》の上にかけておいた毛織りのマットで体をこすった。ドラゴンはいつも鼻から煙《けむり》を噴《ふ》き出しているので、煙《けむり》のにおいに鈍感《どんかん》だろうと考えたからだ。

そして勇気をふるいおこし、こんどはもっとゆっくりと慎重《しんちょう》な足取りで山をのぼりはじめた。

しばらくして、ヴァーモンドの頭がはっきりと見えてきたとき、イルグラは凍《こお》りつき、心臓が倍速で打ちはじめた。ヴァーモンドの目に赤いすきまが見えたのだ。だがつぎの瞬間《しゅんかん》、ドラゴンはかたいまぶたを半開きにして眠《ねむ》っているのだと気づく。イルグラは山頂をじっと見つめた。岩は風化して、重い板となった岩石がはがれ落ちていた。岩石の表面には深い傷が走り、崩《くず》れた破片に混じってイルグラの両手ぶんもある鱗《うろこ》が散らばっている。ところどころ日のあたらないくぼみには雪が溶《と》け残っている。ドラゴンのたたんだ翼《つばさ》のそばに、つるりとした大きな石が見えた。度胸試しで頂上までのぼりきった戦士たちが、そのしるしを刻んだ石だ。

イルグラはガレ場で音を立てないように注意しながら、深紅の目と大きな一枚岩ぶんの距離《きょり》を保ちつつ、ドラゴンのまわりをじわじわと進んだ。じゅうぶん近づくことさえできれば、ドラゴンが反応する前に仕留められる。たとえ息の根をとめられなくとも、片目が使えなくなれば、ヴァーモンドは永久に不自由な身となるだろう。

イルグラは父と狩猟《しゅりょう》の女神ラーナに祈《いの》りの言葉をつぶやき、自分をふるいたたせた。

空気がうすいせいでハアハアと息がもれそうだった。期待が高まり、鼓動《こどう》が速くなる。実行のときを前に、体じゅうの筋肉がぴんと張りつめていた。緊張《きんちょう》と興奮で足が

ガクガク震《ふる》えた。すでに自分のなかで——種族の大いなる恩恵《おんけい》でもあり破滅《はめつ》のもとでもある——戦闘《せんとう》へ激しいまでの欲望がわきおこっているのを感じ、イルグラは歯をむき出して残忍《ざんにん》な笑みを浮《う》かべた。

　一時間近くかけて、イルグラはようやくヴァーモンドの巨大《きょだい》な頭にごく近い岩の手前まで進んだ。そこにしゃがんで息をととのえ、気持ちの準備をした。たとえここで死んでも、栄誉《えいよ》ある死となる。部族は来《きた》るべき世代まで彼女《かのじょ》の名をたたえるだろう。イルグラは腰《こし》にさげた父の角笛に手を触《ふ》れた。吹《ふ》き鳴らしたいところだが、不意討ちを台無しにする気はない。成功の可能性はすべてそれにかかっているのだ。

　イルグラはひとつ息を吸った。そしてつぎの瞬間《しゅんかん》、岩を飛びこえ、槍《やり》を振《ふ》りあげ、ドラゴンめがけて猛然《もうぜん》と駆《か》けだした。三歩走って、寝《ね》ているヴァーモンドの細くあいた目に槍《やり》を突《つ》き刺《さ》した。

　と、ドラゴンがまばたきをした。

　ビシッ！　大きな音がして、槍《やり》の穂先《ほさき》がヴァーモンドの鱗状《うろこじょう》のまぶたにあたって粉々《こなごな》になった。にぎりしめた柄《え》がはじかれ、掌《てのひら》にしびれが走る。イルグラはふらつく足を踏《ふ》んばった。つかの間、身動きもせずあぜんとしてそこに立っていた。

　ドラゴンのまぶたが開いた。赤く縁取《ふちど》られた燃えるような目がイルグラを見おろし

た。たてに黒く裂《さ》けた瞳孔《どうこう》は、歩いてわたれるほど大きい。ドラゴンの目は空をおおい隠《かく》した。イルグラをその場に釘《くぎ》づけにして、まごうかたない力で彼女《かのじょ》の存在を支配した。やがてドラゴンの意識が自分のそれを包みこむのを感じ、あまりに広大で理解しがたい知性を前にしてイルグラは縮みあがった。そこから伝わってくるのはおどろきでも怒《いか》りでもなく、むろんよろこびでもなく、最悪の反応……無関心だった。

　イルグラの自我は、ヴァーモンドの圧倒《あっとう》的な存在感に押《お》しつぶされた。まわりの世界がぐらりとかたむき、暗闇《くらやみ》が大きく口をあけて飢《う》えた笑みを浮《う》かべ、自分の知識もその存在もすべてゴミくず同然のつまらないものとなって、果てのない虚空《こくう》をただよっていくようで……。

　そのとき激しい怒《いか》りがこみあげてきて、ドラゴンの呪縛《じゅばく》から解放された。イルグラは父の角笛に手をかけてあとずさった。なにをされようと、たいていのことには耐《た》えられるが、無関心だけは耐《た》えられなかった。それだけは絶対に！　なにがなんでもヴァーモンドを無関心から揺《ゆ》さぶり出し、それ相応の反応をさせ、わたしに敬意をはらわせてやる。わたしに対して――わが部族に対して――それぐらいの借りがあるはずだ。

　唇《くちびる》に角笛をあて、怒《いか》りの音を吹《ふ》き鳴らそうとした瞬間《しゅんかん》、ぐらつく地面で足をとられ

た。イルグラはくだけた岩で足をすべらせ、尊大なるクルカラス山頂の不毛の尾根《おね》を、まっさかさまにころげ落ちた。

腕《うで》を振《ふ》りまわした拍子《ひょうし》に、槍《やり》ゴーゴスが手をはなれていった。つかむものもなく、ただ空と山が目まぐるしく回転するのを見ながら、角笛を腹に引きよせ、しっかりとかかえていた。つめたい雪を浴び、低木や枝にぶつかりながら、ようやく——目の前が真っ白になり、星がチカチカして視界がぼやけるほどの衝撃《しょうげき》とともに——暴風で曲がったモミの木の幹にぶちあたってとまった。

ほかの〈角持つ者《ホーンド》〉同様、イルグラもイノシシなみに分厚い皮膚《ひふ》を持っている。だがいくら傷に強いとはいえ、不死身《ふじみ》ではない。あえぐように呼吸し、体を動かそうとして気づいた。足の骨が折れている。イルグラは痛みに声をあげた。

槍《やり》はどこにも見あたらなかった。

絶望的な気分で横たわったまま、イルグラはクルカラスの頂上に目をやり、山肌《やまはだ》を這《は》いおりてくるヴァーモンドにむさぼり食われるのを待った。逃《に》げることも戦うことも隠《かく》れることもできない。ならば、ゆいいつ賢明《けんめい》なことをするしかない。じっと動かず、体力を温存することだ。

しかし、ヴァーモンドは現れなかった。ドラゴンからすれば、イルグラはまったく

無価値なものであるかのように。そう思ったとたん、折れた足の痛みと変わらぬ苦痛が襲《おそ》ってきた。イルグラたちの命を意のままにあやつる力――生と死を完全に支配する力――を持つこと自体許せないのに、ドラゴンにとって、彼《かれ》らはネズミ同然ちょろちょろ動きまわる存在にすぎないのだ。

歯をむいてうなりながら、背中を伸《の》ばそうとするが、またもや痛みに声をあげそうになる。イルグラはおぼれる者がわらをもつかむように木の幹にしがみつき、激しい足の痛みがゆっくりと引いていくのを待った。父の角笛をたしかめると、革ひもがまだ手首に巻きついている。どこもこわれていないのを見てホッとした。

やがて動きだす準備ができたとき、イルグラはふと、近くの茂《しげ》みのなかで青くキラリと光るものを見た。好奇心《こうきしん》に駆《か》られ、四つん這《ば》いになって近づいていく。足が地面につくたびに、体のなかを刺《さ》すような痛みが走る。茂《しげ》みを手でかきわけると、もつれあう茎《くき》のなかに見つけたものは、あの祈祷師《シャーマン》ウルクロの杖《つえ》だった。

おどろきとしかいいようがなかった。山のきびしい風雪にさらされながらも、木製の柄《え》はまったくの無傷に見える。杖《つえ》をつかみ、自分の前で持ってみて、イルグラは心を決めた。手足の力でヴァーモンドを負かせないなら、正道から多少はずれた手段で負かすしかない――魔術《まじゅつ》や霊魂《れいこん》や呪文《じゅもん》という手段で。考えると恐《おそ》ろしいことだが、恐《きょう》

怖《ふ》に屈《くっ》するなど自分にはありえない。

イルグラは杖《つえ》に槍《やり》と同じ名前をつけた――ゴーゴス。復讐《ふくしゅう》だ。

モミの木のところまで這《は》ってもどると、枝を折り、チュニックの布を細くやぶって、折れた足の添《そ》え木にした。そして杖《つえ》ゴーゴスを松葉杖《まつばづえ》がわりにして、クルカラスの長い山道を谷へ向かってくだりはじめた。

つらくみじめな試練だった。一歩進むごとに足が痛み、滑落《かつらく》のとき食糧《しょくりょう》と水を失ったせいでたちまちのどが渇《かわ》いてきて、腹をえぐるような空腹感にさいなまれた。

何度も立ちどまって足を休めながら進んだので、木々のあいだに一軒《けん》目のオレンジの灯りがきらめいて見えたときには、すでにとっぷりと日が暮れていた。温かさと安全とおいしい食べ物が約束された、ありがたい光景だった。

一軒《けん》目の家にたどり着くより早く、アーヴォグとモクターがイルグラの姿に気づいた。彼《かれ》らは安堵《あんど》の声をあげて出迎《でむか》えると、不思議そうな顔で彼女《かのじょ》の杖《つえ》を見た。ふたりとも朝からずっとそこでイルグラを待っていたのだという。アーヴォグによると、イルグラが村を出たことがわかってほどなく足跡《あしあと》を見つけ、クルカラスのふもとまでたどったそうだ。そこから先まではさすがに追う者はいなかった。イルグラのせいで目覚めたドラゴンがなにをしでかすか知れず、恐《おそ》ろしかったからだ。それでも、彼《かれ》らは

イルグラの帰還《きかん》を願い、見張りをつづけていたのだ。

「お母さんがひどく心配しているぞ」アーヴォグが低く重々しい声でいった。イルグラはうなずいた。じゅうぶん予想していたことだ。

アーヴォグとモクターがイルグラを家に運んだ。家に着くと、母と妹が心配のあまり――邪悪《じゃあく》なヴァーモンドさえひるむほどの――すさまじい勢いでイルグラに襲《おそ》いかかってきた。どんなにたたかれても責められても、母が自分を誇《ほこ》りに思っているのはわかった。だが、イルグラのなしとげたことは、もっとも勇気ある戦士たちの偉業《いぎょう》に匹敵《ひってき》するものだ。それに、ドラゴンを退治できなかったとはいえ、ウルクロの杖《つえ》という貴重な宝を持ち帰ってきた。

ヤーナも姉を誇《ほこ》りに思っているようだった。「わたしもじゅうぶんな年になっていたら、姉さんといっしょに行けたのに。姉さんはわたしがまだできないことをやりとげた。それがうれしい」

すると母がいった。「いい？　これで終わりにするのよ。もう名誉欲《めいよよく》は満たされたのだから。これ以上バカなマネはしないで」

しかし、イルグラには不満が残っていた。ヴァーモンドが生きているかぎり、心安らかではいられない。復讐《ふくしゅう》の渇《かわ》きを癒《い》やすものは、ドラゴンの血しかないのだ。それ

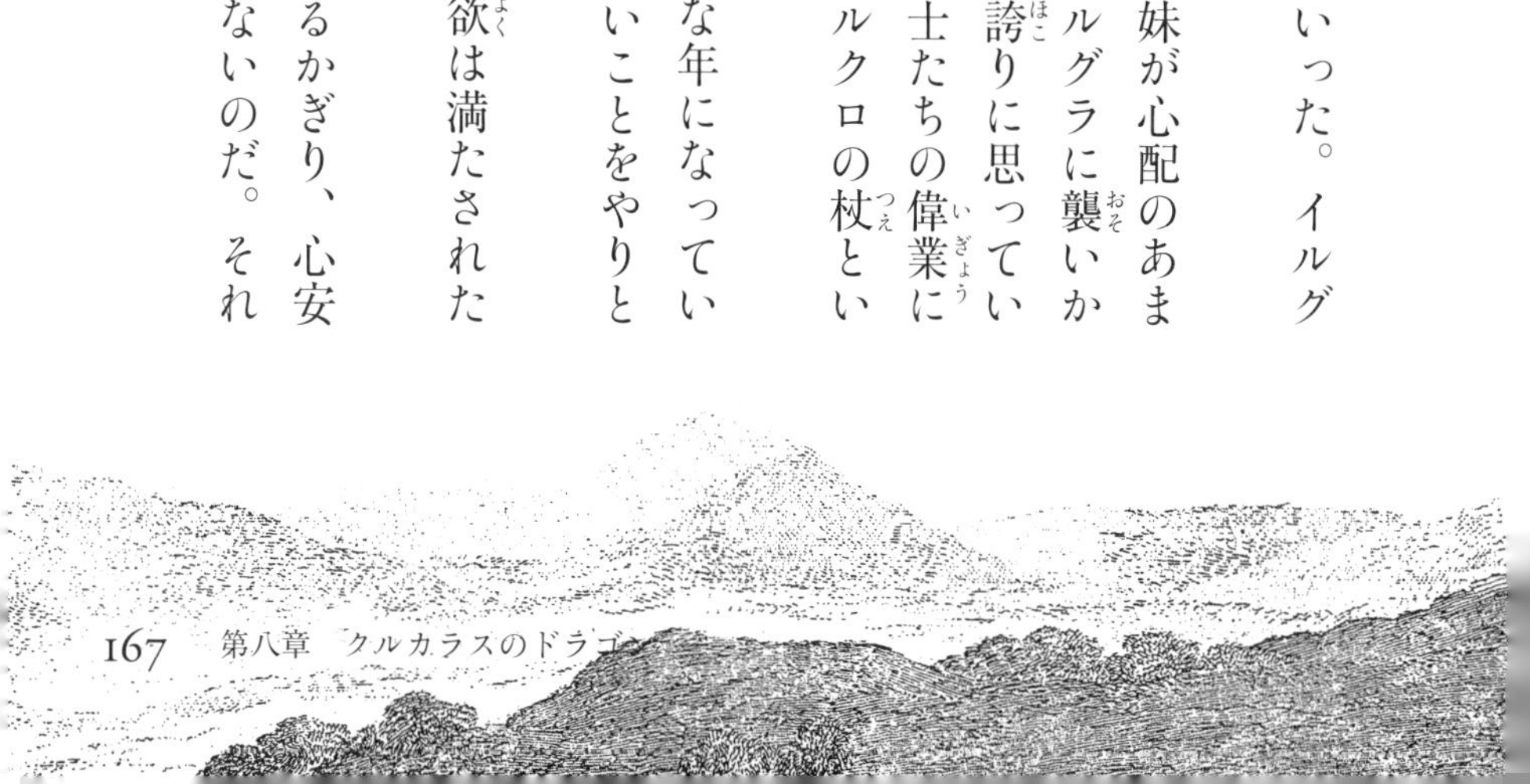

を言葉にしようとしたが、治療師《ちりょうし》が現れて話がとぎれた。

　足の骨をまっすぐに整復してもらうあいだ、イルグラは口にはさんだ革のベルトをかみしめていた。声を出さず、じっと天井を見つめ、杖《つえ》のことや、自分が学ぶべきことを考えた。なぜなら、イルグラは若く、これしきでくじけたりはしないからだ。

＊＊＊

　イルグラの足の治りはよくなかった。クルカラスの山をおりるあいだによけい悪化させ、骨が曲がったままくっついたため片足だけ短くなり、一生足を引きずって歩くことになった。じめじめする日や寒い日、歩いたあとなどは痛みもあったが、不快な痛みを言い訳に自分のやりたいことをあきらめる気はなかった。

　ただひとつだけ、たしかなことがあった――戦士としてのイルグラの日々は終わったということだ。体のバランスは悪くなった。もし敵に不自由な足をねらわれたら、簡単に倒《たお》され、また骨を折ってしまうだろう。

それを思うと、舌の上に苦い味が広がった。自分の思考が、暗くてもつれあった慣れない道をさまよっているような気がした。ヴァーモンドの意識の感触《かんしょく》を思い出すこともあった。そんなときは世界がだんだん薄暗《うすぐら》く、遠くなっていくように思え、その感覚が過ぎ去るまで、じっとすわっていなければならなくなった。

足が不自由でも、イルグラの背丈《せたけ》はどんどん伸《の》びた。秋になるころには、父がそうだったように、〈任命されし者《アノインティド》〉であることは一目瞭然《いちもくりょうぜん》で、しだいに男たちが求愛にやってくるようになった。そうした者たちを無視できなくなると、頭や肩《かた》のまわりで杖《つえ》ゴーゴスを振《ふ》って追いはらった。部族の者たちは杖《つえ》とそれの持つ魔力《まりょく》を恐《おそ》れていたからだ。

母や妹は顔をしかめたが、イルグラに結婚《けっこん》する気は毛頭なかった。大きな目的に向けて、そんなものは邪魔《じゃま》にしかならない。だが本当の意図は口にせず、どの男も自分の好意を勝ち取れなかったと、いい張るだけにとどめた。しばらくのあいだは、それで気をもむ母や妹を黙《だま》らせることができた。

自分だけの時間があるときは杖《つえ》の観察についやし、その秘密を探ることに没頭《ぼっとう》したが、努力はむくわれなかった。魔術《まじゅつ》の使い方もわからなければ、どんな力を持っているか――ウルクロ自身が杖《つえ》にどんな力をあたえたか――謎《なぞ》のままだ。

進歩のないことが、どんどん大きな不満の種となっていった。杖《つえ》の持つ謎《なぞ》について考えだすと、夜もほとんど眠《ねむ》れなくなった。やがて季節が変わるころ、これを解決するには、魔法《まほう》のことを教えてくれる師匠《ししょう》を見つけるしかないという結論に達した。谷をはなれると思うとつらくてたまらないが、なにもせずにいるのはもっとつらく苦しいことだ。

ところがこのときばかりは、幸運の女神がイルグラにほほえんだ。ちょうど旅の準備をはじめようとしたころ、あらたなシャーマンが村にやってきたのだ。名を〝石の拳《クァジャード》〟・クァジャード《ストーンフィスト》という。イルグラは彼《かれ》に杖《つえ》を見せ、魔術《まじゅつ》を習いたいと望みを打ちあけた。しかしクァジャードはそれをあざ笑った。杖《つえ》はシャーマンである自分が持つべきだといった。

イルグラはクァジャードの言いぶんを笑い、部族の者たちもいっしょになって笑った。どんなよそ者も――いくらシャーマンであっても――スクガロ族から戦利品を横取りすることはできない。クァジャードがイルグラの角に角を突《つ》きつけてくると、笑い声は怒声《どせい》に変わった。だが、押《お》しあいへしあい、ののしりあってこそ、本当の意味でのよい妥協案《だきょうあん》にたどり着くものだ。両者が同意したのは、賭《か》け試合をすることだった。〈マーグラ〉をフルラウンドでおこなう。三ゲームを三セットだ。イルグラが勝てばクァジャードは彼女《かのじょ》を弟子《でし》にして、秘儀《ひぎ》を伝授する。もしクァジャードが勝てば、イルグラは杖《つえ》を彼《かれ》にゆずってこの件は終わりとなる。

母はイルグラの挑戦《ちょうせん》におどろきながらも、反対しなかった。シャーマンになるということは、重要人物になるということ。家族にとって名誉《めいよ》となる。そのうえ、魔術《まじゅつ》の使い手を得た幸運な部族は、冬を生きのびる保証を得ることにもなるのだ。

試合はその晩おこなわれた。村の全員がアーヴォグの家に見物に集まった。イルグラとクァジャードは磨《みが》きあげた骨のテーブルをはさんで、角を低くしてすわった。

競技は合計で九ゲームおこなわれる。九は神聖な数字なのだ。イルグラは最初のセットで三回〈たたきあい〉に勝った。クァジャードは第二セット〈噛《か》みつき〉に勝った。ここまではイルグラも予想していたことだ。最後の第三セット、〈逃《に》げ〉になると、イルグラは自分のほうが優位だと知っていた。〈逃《に》げ〉ゲームは相手を攻撃《こうげき》するか、またはいったん逃《に》げて相手を自分の罠《わな》にはめてつかまえることで勝てる。戦士はみなそうであるように、逃《に》げることはクァジャードの自尊心が許さない。だが、イルグラにはもう自尊心などない。頭にあるのは勝つことだけ。だから、イルグラは逃《に》げ、そして勝利した。

クァジャードはイルグラをののしったが、賭《か》けは賭《か》けだ。彼《かれ》は約束した言葉を忠実

に守った。

夜が明けると、森のはずれの暗くかげった草原でイルグラはシャーマンと会った。そして、そこで彼女《かのじょ》の修業がはじまった。

＊　＊　＊

それから三か月、イルグラはクァジャードの教えのもと修業にはげんだ。クァジャードはきびしく、妥協《だきょう》をゆるさない師匠《ししょう》だったが、イルグラはめげなかった。とにかく学びたかったし、満足の限界をはるかにこえるまで自分を駆《か》り立てたかった。

そのとおり、彼女《かのじょ》は学んだ。クァジャードは魔術《まじゅつ》の規則や、自分の意思で世界をつくり変えるために使う古代語の規則を教えた。また、自分の思考や感情をコントロールする方法や、ヴァーモンドにされたように、他者の意識に触《ふ》れる方法も。イルグラは、ひとりでいるときは、クァジャードがおぼえるべきだという名前や単語――物事の本質をあらわす力を持った言葉――を懸命《けんめい》に暗記した。

母をはじめ部族の者みなが、イルグラが学習に専念できるよう、日常の仕事のほとんどを免除《めんじょ》してくれた。だがイルグラは彼《かれ》らに――家族にさえも――自分の大きな目的を話すことなく、胸の内にとどめておいた。

三か月が過ぎ、クァジャード・ストーンフィストは村を去っていった。そもそも彼《かれ》は流れ者だ。シャーマンのいないほかの部族が彼《かれ》の力を必要としていたのだ。クァジャードは旅に出る前、身につけるべき技や練習すべき単語、つくるべき道具など、イルグラに課題を出していった。禁止事項《じこう》もあった。第一番目は、自然の法則をやぶる魔術《まじゅつ》を使ってはならないということ。二番目は、ウルクロの杖《つえ》で魔術《まじゅつ》を使ってはならないということだ。

クァジャードがいないあいだも、イルグラは訓練をおこたらなかった。もどってきたクァジャードをおどろかせるくらい上達しようと努力した。そうすれば、大きな目的を果たせる日が早く来るにちがいないと思った。それでも、頭を石に打ちつけているような気分の日が長くつづいた――魔術《まじゅつ》はなにからなにまで一筋縄ではいかないのだ。だがイルグラは粘《ねば》り強かった。角は日々気づかないほどゆっくり伸《の》びるけれど、何か月かたてば目に見えるほど変化している。それと同じように、イルグラの理解力も高まっていった。

魔術《まじゅつ》はイルグラにとってしっくりこないものだった。言葉や思考を使ってなにかを変化させることに、どうしても慣れることができなかったのだ。最初のうちは、それがまやかしに思えた。しかし魔術《まじゅつ》には、努力という代償《だいしょう》が必要だ。目的をとげようとする野心があればあるほど、努力しなければならない。そしてそれがわかっているからこそ、イルグラは自分が霊魂《れいこん》や神ではなく、いまも〈角持つ者《ホーンド》〉の一員なのだと確信できて、心が休まった。魔術《まじゅつ》を学びながらも、自分は地面や木々や生命そのものの現実と、いまもつながっていると思えるのだ。

クァジャードは収穫期《しゅうかくき》の終わりごろにもどってきた。イルグラは身につけたことすべてを彼《かれ》にやってみせた。たとえ感心したのだとしても、シャーマンはなにもいわず、ただきらに訓練をきびしくし、多くの課題を課してきた――イルグラの能力の限界をはるかに越《こ》えるほどの分量だった。

そしてクァジャードは数か月村にいて、また放浪《ほうろう》の旅に出ていった。このようにして、イルグラの修業生活はつづいた。

数か月が過ぎ、いくつもの季節が過ぎ、数年という月日が過ぎ、イルグラはありとあらゆることを学習した。シカやクマや、山にいるさまざまな鳥や獣《けもの》たちの真の名をおぼえた。木や草花も大きいものから小さいものまで真の名をおぼえた。また、風や土や炎《ほのお》に話しかけ、なだめてしたがわせる方法もおぼえた。鋼《はがね》の謎《なぞ》を解き、剣《けん》の攻撃《こうげき》や防御《ぼうぎょ》の極意を知り、つくり方を学んだ。

やがて、クァジャードはイルグラの杖《つえ》——もはやウルクロのものではない——にかんする真実を教えてくれた。先端《せんたん》のサファイアにたくわえられた膨大《ぼうだい》なパワーは、その鋭《するど》くとがった石の監獄《かんごく》のなかで、荒《あ》れ狂《くる》う海のように暴れている。もしも監獄《かんごく》がやぶれたら、その海が怒涛《どとう》のように吹《ふ》き出して、まわりのものすべてを破壊《はかい》してしまう。ただし、杖《つえ》をふるうシャーマンが有能ならば、パワーを思いどおりにあやつり、ひとりの力ではとても達成できないような、大きな偉業《いぎょう》をなしとげることもできる。とはいえ、そのパワーは無駄《むだ》に使うべきものではない。石は本来の石の価値よりもっと貴重なもの——ウルクロやその師匠《ししょう》が生涯《しょうがい》かけてパワーを集めた、輝《かがや》ける宝の貯蔵庫なのだ。パワーはいざというときにそなえ大事に管理しなければならない。貯蔵庫をさらに大きくして、だれかに受け継《つ》ぐ日が来るまで、イルグラも自身の力で石のパワーを増やし、育て、栄養をあたえるべきものなのだ。

こうしてイルグラは理解した——このパワーは遺産なのだと。なのに自分はこれを守っていくつもりがない。自分の目的のために使うつもりだ。それがうしろめたかった。

イルグラはクァジャードの旅に二度ついていった。それまでスクガロ族の谷を一度も出たことがなかったので、初めて目にする山々に興奮と不安を同時におぼえた。立ちよった部族にはそれぞれ見慣れない習慣があって、あまり歓迎《かんげい》されていない気分になることもあった。それでも、旅は役に立ったし、いい経験ができた。おかげで世の中のほんとうの大きさを知ることもできた。なによりよかったのは、故郷への愛情と感謝の気持ちがいちだんと強くなったことだ。谷間には部族が生きるために必要なあらゆるものがそろっている。きれいな水、豊富な獲物《えもの》、建物をつくるための木々や岩石。ただひとつ、問題なのはヴァーモンドだ。やつを取りのぞけたら、故郷はふたたびあるべき姿にもどれるのに。

この数年間というもの、ヴァーモンドの眠《ねむ》りの長さは予測がつかなくなっていた。ただ、部族はドラゴンの襲撃《しゅうげき》に慣れてきて、あまりおどろきもしなくなっていた。ドラゴンとの距離《きょり》をたもち、怒《いか》りを買わずにいるかぎり、生きのびていられるのだ。ときには――部族側がなにかしでかしたり、ヴァーモンドの不機嫌《ふきげん》のせいで――予想外なことも起きたが、それも我慢《がまん》できるほどだった。

でもイルグラはどれひとつとして、こころよく受けとめることなどできなかった。ヴァーモンドの存在はかたい塊《かたまり》としてのどにひっかかっていた。

やがてある日、となりの部族、インヴェク族が村を襲撃《しゅうげき》してきた。畑に作物が実り、動物たちが肥える夏の終わりごろのことだ。インヴェク族は太陽が高くのぼる白昼に、奇襲《きしゅう》をかけてきた。騒々《そうぞう》しい雄叫《おたけ》びや奇声《きせい》をあげ、槍《やり》や槌《つち》や、部族の紋章《もんしょう》をあらわす三角旗をふりながら、インヴェクの戦士たちは森のなかから突撃《とつげき》してきた。

部族間のこのような襲撃《しゅうげき》はよくあることだ。男たちが自分の力をためし、名をあげて、女たちの気を引くのにもってこいの方法なのだ。たいていの場合、襲撃《しゅうげき》は友好的とはいえないまでも、それほど敵意に満ちたものではない。血は流れるが、部族のだれかが命を落とすようなことはめったにない。

スクガロ族にとって、このときの襲撃《しゅうげき》はことさら大きな栄光を勝ちとる機会になりそうだった。なぜなら、ドラゴンの影《かげ》をものともせず暮らす部族の強さを見せつけてやれるからだ。スクガロ族の勇名は、すでに広くとどろいていた。

というわけで、イルグラにはこの襲撃《しゅうげき》が、深刻な事態というより、むしろ楽しい気晴らしに思えた。建てなおされたわが家を飛び出すと、侵入者《しんにゅうしゃ》たちを撃退《げきたい》すべく部族の戦士たちにくわわった。いつものように先導するのは男たちだが、戦いは部族が一丸となっておこなうものだ。若者たちは使命感をいだいて参戦し、女ホーンド〈ハーンダール〉の最長老でさえ武器を取って戦った。（杖《つえ》やアシのほうきでスズメバ

チよろしく刺《さ》しまくった）

イルグラはうろたえ気味のインヴェク族を杖《つえ》で撃退《げきたい》しながら、アーヴォグが巨漢《きょかん》の敵と取っ組み合ってたたきのめすのをほれぼれと見ていた。すると、またべつのインヴェク族がイルグラにつかみかかってきた――なにしろイルグラは〈任命されし者《アノインティド》〉なので、それだけいどむ価値があると見なされる。イルグラは相手に杖《つえ》ゴーゴスを突《つ》きつけると、呪文《じゅもん》をとなえ、角の先に火をつけた。緑色の炎《ほのお》は熱くないのに、インヴェクの戦士はみっともない悲鳴をあげ、あわてて近くの小川へと走り、火のついた角を何度も水にたたきつけていた。

イルグラは可笑《おか》しくてたまらなかった。

戦いの音が真昼の空に大きく響《ひび》きわたっていた。木や鉄のぶつかる音、男たちの怒《ど》声《せい》やさけび声、女たちの悪態や活を入れる声、興奮した家畜《かちく》たちの鳴き声。その騒音《そうおん》は、クルカラスの高い山頂までとどくほど大きかったようだ。戦いのさなか、警告のさけび声が聞こえた。イルグラが見あげると、ヴァーモンドは岩の枕《まくら》から頭を持ちあげていた。

ヴァーモンドが谷間を見おろし、なだれを起こすほどの大きなうなり声をとどろかせたとたん、戦いはぴたりと静止した。あまりにすさまじい咆哮《ほうこう》で、イルグラは足の裏から骨まで震《ふる》えるのを感じた。地面が震動《しんどう》でぼやけるほどだ。動物たちはおびえ、小川にさざ波が立ち、甲高《かんだか》い声をあげて逃《に》げ出す鳥の群れであたりが薄暗《うすぐら》くなった。クルカラス山では花崗岩《かこうがん》の頂上からはがれた氷や雪のぶあつい破片が、低いごう音とともに下の樹林に降ってきて、老木の幹をわらのようにへし折った。

ドラゴンの意図はこれ以上ないほど明白だった。

ヴァーモンドは頭をさげ、目を閉じ、ふたたび眠《ねむ》りについたようだ。

インヴェク族の戦士たちは真っ青になって武器をおろした。だれもが言葉を発することなく、仲間や家畜《かちく》や戦利品や名誉《めいよ》などそっちのけで、来た道を逃《に》げ帰っていった。

イルグラは腕組《うでぐ》みをして、遠くのドラゴンをにらみつけた。谷は自分の食糧庫《しょくりょうこ》だ、だれも手を出すなといわんばかりのヴァーモンドに、イルグラの憎《にく》しみはつのるばかりだった。

＊　＊　＊

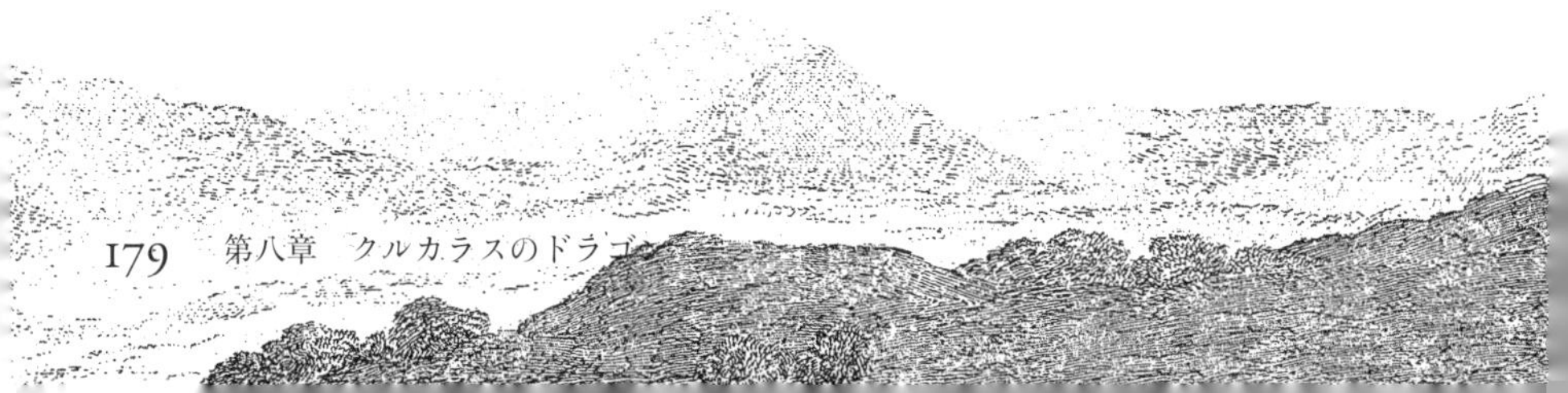

まる四年の指導を終えて、クァジャード・ストーンフィストは教えられることはすべて教えたとイルグラに告げた。その言葉どおり、イルグラは師匠《ししょう》を越《こ》えるほど魔《ま》術《じゅつ》の技を熟知していた。しかし、熟知がかならずしも英知ではない、とクァジャードは釘《くぎ》を刺《さ》した。

イルグラは師匠《ししょう》に礼をいった。クァジャードの指導にはほんとうに感謝していたし、この怒《おこ》りっぽいシャーマンのことをいつのまにか好きになっていた。

クァジャードはイルグラの角をにぎっていった。「おまえの心にある野望は知っている、足の不自由《レイムフット》なイルグラよ。それはじゅうぶん理解できる。かつてわしには連れあいがいた。おまえによく似た、強くて気性の激しい〈角持つ者《ホーンド》〉でな。ある年の春、彼女《かのじょ》はたまたま冬眠《とうみん》から覚めたばかりのクマに遭遇《そうぐう》したんだ。腹をすかせた、タチの悪いクマは、彼女《かのじょ》に襲《おそ》いかかった。わしが見つけたとき彼女《かのじょ》はまだ生きていたが、長年の修業で身につけた技や知識を駆使《くし》しても、彼女《かのじょ》を救うことはできなかった」

「放浪《ほうろう》してるのはそのせい？」イルグラはきいた。

クァジャードはうなずき、角をにぎったままつづけた。「そのクマは縄張りを持たないはぐれ者の雄《おす》でな、仕留めようとあとを追ったが、見つけられなかった。その日から、二十年以上の月日がたっている」

「じゃあ、なぜ故郷へ帰らないの？」

シャーマンは笑みを浮《う》かべた。彼《かれ》の顔に本物の笑みを見たのはこれが初めてだった。「世の中には助けをもとめる者がほかにもいるからだよ。だれかを助けることは大いなる善だし、わしの人生を有効に使うことにもなる。こんなことは種族の流儀《りゅうぎ》じゃないが、イルグラ、わしから忠告しよう。命をなくす前に、復讐《ふくしゅう》を追い求めるのはやめることだ。ドラゴンはわれわれのかなう相手ではない。おまえは強く賢《かしこ》く、種族を愛している。多くの若い戦士が向こう見ずな冒険《ぼうけん》で命を落としているが、おまえをそんなふうに失うのは悲しいことだ」

イルグラはじっと黙《だま》って彼《かれ》の言葉をかみしめた。やがてこたえた。「その忠告はとてもうれしい、クァジャード。感謝してる。でも、わたしは父を忘れることができない。だからこの欲求は捨てられない」

「忘れろなどといったかね？……そんなことをいう気はないよ、イルグラ。ただ、しっかりと考えて行動せよということだ。おまえはとても優秀《ゆうしゅう》な弟子《でし》だった。どんな道を選ぼうと幸せでいてほしい。神々が幸運をもたらさんことを、そして鋭《するど》い知性と清い心を持ちつづけんことを願っているよ」

そしてクァジャードはイルグラの角をはなし、また村を去っていった。しばらくも

どってくることはないとわかっていた。

自分の能力に自信がついたいま、イルグラは強い欲望を胸に動きだした。彼女《かのじょ》にはある計画があった——ドラゴンは炎《ほのお》の生き物だ。もし炎《ほのお》を消すことができたら、ヴァーモンドは死ぬかもしれない。そして、炎《ほのお》を消すには水の威力《いりょく》を使う以外に方法はない。

イルグラは自分の計画に見あう場所を探して、谷のあちこちを三日間歩きまわった。もとめる場所がなかなか見つからなかったとき、ふと、いつも泳いでいた池を思い出した。ヴァーモンドの恐《おそ》ろしい襲撃《しゅうげき》を目撃《もくげき》した、あの湧《わ》き水の池だ。

池そのものは、イルグラの目的を果たすには小さすぎるが、そこからあふれた水が、深く曲がりくねった峡谷《きょうこく》へ流れこんでいる。湿気《しっけ》で黒ずんだ峡谷《きょうこく》の岩壁《がんぺき》には、緑のコケ類や地衣類がまだらに張りつき、たれさがるツル植物は初春のころに白っぽい花をつける。もしも峡谷《きょうこく》のいちばん細い場所をふさぐことができたら、その壁《かべ》の背後には膨大《ぼうだい》な量の水がたまっていく——そして、せきとめた水をいっきに解き放てば、水の通り道にとらわれたものには悲劇が待っている。岩壁《がんぺき》のあいだにはさまれたまま、激流に巻きこまれ、救いようがないほどたたきのめされるはずだ。

想像すると最高の気分になった。

それでも、イルグラは計画を自分のなかだけにとどめておいた。成功するかどうかわからないが、だれかと相談や議論をしても意味がないと思うからだ。なにがあろうと自分が選んだ道をそれるつもりはない。それに、水の放出がスクガロ族を危険にさらすことはまずないはずだ。その峡谷《きょうこく》と川は、村の南側のすこしはなれた場所にあって、山々のあいだを流れるほかの支流と同じようにフラロック川に注ぎこんでいる。フラロック川は、北はドラゴンに征服《せいふく》されたクルカラスから、南は遠く領地の境界をしめす、のこぎり歯状のウルヴァーヴェクまで、谷底を流れている川だ。

しかし、解決すべき問題がある。水をせきとめるほどの壁《かべ》をどうやってつくるかだ。また、それができたとして、どうやってヴァーモンドを峡谷《きょうこく》に誘《さそ》いこむか。秋になると、部族は傾斜《けいしゃ》のある細い溝《みぞ》を掘《ほ》って、脂身《あぶらみ》をエサにガチョウを誘《さそ》いこむ。ガチョウはうたがうことなく餌《えさ》を追い、気づくと溝《みぞ》の深みにとらえられ、羽を開くことも飛ぶこともできなくなる……ガチョウとドラゴン、原理は同じことだ。

イルグラはすぐに計画を実行にうつした。

まずは村の家を出て、峡谷《きょうこく》をのぞむ山の上に小さな山小屋を建てた。これが母との口論を引き起こした。母は、イルグラが村の日課からはなれて暮らすことに反対だったのだ。「よくないことだわ」母はいった。「おまえにとっても、わたしたちにとって

も」

しかしイルグラは考えを押《お》しとおし、母と娘《むすめ》のあいだにわだかまりを残すことになった。部族のほかの者たちは、イルグラが家を出ることについて疑問も持たずに受けとめた。魔術《まじゅつ》の使い手はふつうの〈角持つ者《ホーンド》〉たちと別ものとされている。不可解な行動も、ありえることと見なされていたのだ。

風の音とさまようオオカミの遠吠《とおぼ》えしかとどかないような小屋だが、ひとたびそこに落ち着くとイルグラは仕事に取りかかった。呪文《じゅもん》をとなえ、土砂のなかに水路をつくり、湧《わ》き水の池からあふれた水を、峡谷《きょうこく》のふちにそって流れるように向きを変えた。流れを迂回《うかい》させることによって、水に邪魔《じゃま》されずに、岩の割れ目へおりていけるようになった。

その後、夏と秋いっぱいかけて、峡谷《きょうこく》のもっともせまい場所をせきとめる作業に没《ぼっ》頭《とう》した――両側にそびえる岩壁《がんぺき》のあいだが、イルグラふたりぶんの両腕《りょううで》の長さにも満たない場所だ。戦いに向かない足になったとはいえ、イルグラは〈任命されし者《アノインテイド》〉だ。だからほかの〈任命されし者《アノインテイド》〉と同じように屈強《くっきょう》だ。骨身を惜《お》しまず働き、その努力によって山の中腹から運んだ巨石《きょせき》で峡谷《きょうこく》のすきまがうめられた。

それぞれの石がぴったりおさまると、魔術《まじゅつ》で土台の岩とくっつけ、すべての石がひとつのかたい壁《かべ》となるようにした。最後の石までしっかり固定し、迂回《うかい》しておいた湧《わ》き水の池の流れをもとの水路へもどすと、石の壁《かべ》の向こうに水がたまりはじめた。とはいえ、たまっていく水量はわずかだ。壁《かべ》でせきとめられた峡谷《きょうこく》にたっぷり水がたまるには、何か月もかかるだろう。そのいっぽうで、水が来なくなった水路はいま、灰色のひからびたヘビのように砂利がむき出しになっている。

やがて村の者たちがイルグラの作業に気づき、なにをするつもりなのかたずねてきた。イルグラはただ、泳ぐために大きな池をつくりたいのだとこたえた。その言葉に異をとなえる者はなく、イルグラの行動はシャーマンにありがちな奇行《きこう》とみなされるだけだった。

イルグラの説明で部族の者たちは納得しても、母だけは納得しなかった。「おまえは目的もなしになにかをする子じゃないわ、娘《むすめ》よ。本当のことをいいなさい。いったいなにがしたいの？」

このとき、イルグラの孤独《こどく》な心があだとなった。一瞬《いっしゅん》、弱さに襲《おそ》われたのだ——それは、愛する者と心のふれあいをもとめる強い衝動《しょうどう》だった。その一瞬《いっしゅん》の弱さのせいで、イルグラは秘密にしていた自分の欲求を打ちあけた。

イルグラの告白は母をひどく怒《おこ》らせた。「娘《むすめ》よ、そのためにわたしたちと距離《きょり》を置

いてたというの？　どうかしてるわ。犬に咬《か》まれて熱病にでもかかったのね。ドラゴンはぜったいに殺せない。あいつがいなくなるとしたら、あいつ自身の選択《せんたく》であって、わたしたちがどうこうできる問題じゃない」

イルグラは反論した。「そんなの納得できない。わたしがヴァーモンドを殺すか、やつがわたしを殺すか。ほかの結末はありえない」

母は歯ぎしりをした。「どうしておまえはそんなに面倒《めんどう》な子なの？　わたしたちには変えられないこともある。避《さ》けられないものと闘《たたか》っても、栄光なんてない。わからないの？」

「わかっているのは、ドラゴンが父さんを殺したってこと。母さんの大切な夫をね！　母さんは、父さんや部族のみんなの仇《かたき》を討つつもりはないんだね。でもわたしはちがう！」

すると母はイルグラの角を自分の角で押《お》さえつけた。ただし、ふたりの背丈《せたけ》はいまやずいぶんちがうので、イルグラはほぼふたつ折りに腰《こし》を曲げることとなった。「わたしは夫を尊敬してたし、娘《むすめ》たちを大切にしてきた」母はうなるような声でいった。

「でも、わたしまで死んで、おまえたちが孤児《こじ》になってこの世で生きていくことになれば、それは栄光とはいえない」

その言葉の意味がわかって怒《いか》りがおさまると、イルグラはのどをあげていった。

「母さんが正しい。侮辱《ぶじょく》するつもりはなかった」

母も角を持ちあげた。表情がすこしおだやかになっている。「おまえはわたしにとっていい娘《むすめ》よ、イルグラ。ヤーナのいい姉でもある。でも、お願いだから、実りのない追求はあきらめて。悲しみしかもたらさないわ」

「あきらめられない」

「覚悟《かくご》は変わらないの？　わたしがこれほどいっても、ずっとそんなふうに生きていくつもりなのね？」

「うん」

母はため息をついた。「しかたない、じゃあ祝福をあたえなくてはね。おまえを不運から守る楯《たて》となるよう願いをこめて、」母はそういって祈《いの》り、ふたりは抱《だ》きしめあった。イルグラは目に涙《なみだ》がこみあげるのを感じた。

翌朝早く、イルグラが山小屋を出ると、ヤーナが岩壁《がんぺき》の上に立ってイルグラのつくりあげたものを見おろしていた。

妹はいった。「やっぱり父さんの仇討《かたきう》ちをあきらめていないんだね」それは質問ではなかった。

イルグラはこたえた。「そうだよ」

するとヤーナは鋭《するど》いまなざしで姉を見つめた。「そうだよね。わたしも姉さんぐらい強ければ、同じことをしてたはず。姉さんは〈任命されし者《アノインティド》〉だけど、わたしはそうじゃない。姉さんは魔術《まじゅつ》を使えるけど、わたしはそうじゃない。姉さんは恐《おそ》れを知らない。自分もそうなれたらどんなにいいか」

「わたしだって怖《こわ》いよ」イルグラはいった。「でも、だからといってやめはしない」

イルグラはヤーナを両腕《りょううで》で抱《だ》きしめた。妹が自分を応援《おうえん》してくれることも、ヴァーモンドを討ちたいという共通の欲求があることもわかって、気持ちが楽になった。

ありがたいことに、母も妹も、部族のほかの者たちにはイルグラの計画を話さずにいてくれた。しかしその後イルグラは、以前より孤独《こどく》を感じるようになった。ヤーナの期待の重さが自分のそれにくわわり、肩《かた》にのしかかる。風があざけりの音を立てているように聞こえてきた。

峡谷《きょうこく》に水がたまるのを待ついっぽう、イルグラはシャーマンとしてスクガロ族の者たちへ務めを果たすことに力をそそいだ。お産の手伝いや、痛みの治療《ちりょう》、いろいろな道具がこわれたり災いがふりかからないように守る呪文《じゅもん》をかけたりもした。シャーマンとしての仕事は〈ハーンダール〉の仕事より明確でわかりやすい――〈ハーンダー

ル〉は部族をひきいることだけでなく、占《うらな》いや予兆、神々にまつわることなど、神秘的なことがらを取りしきらなくてはならない。自分はシャーマンでよかった。魔術《まじゅつ》を使うとはいえ、手に触《ふ》れられるもの、現実的なものをあつかうほうが性にあっているからだ。

手助けをした者たちから、イルグラはよく贈《おく》り物をもらう――命を救うことはそれだけ大きな仕事だということだ。おかげで、あっという間にヒツジとヤギの小さな群れ（それに毛を逆立てた不機嫌《ふきげん》なクマも）が自分のものになった。イルグラは峡谷《きょうこく》に動物たちの囲いをつくり、鬱蒼《うっそう》とした木々の枝の下で草を干しては、毎日飼い葉をあたえた。また、囲いのまわりには、山の獣《けもの》たちを追いはらうため、呪文《じゅもん》をかけた魔除《まよ》けをぶらさげた。

こうして、罠《わな》にドラゴンのための餌《えさ》を仕込《しこ》んだ。

峡谷《きょうこく》に水をためるのは、予想していたよりはるかに時間のかかることだった。心配なのは冬が近づいていることだった。少なくともひと冬に一度は、ヴァーモンドは家《か》畜《ちく》で軽い腹ごしらえをするためにおりてくる。そのときまでに、水が半分しかたまっていなければ、巨大《きょだい》なドラゴンを水でなぎたおすには不十分だ。となると、この冬はあきらめて、つぎの腹ごしらえの機会まで待たなくてはならなくなる。

そんな見通しなど、腹立たしいだけだ。イルグラは思いきった手段を取ることに決めた。峡谷《きょうこく》の上の湧《わ》き水の池まで歩いていくと、自力で土手に水路を掘《ほ》り、池の水がなめらかに下の峡谷《きょうこく》へと流れていくようにしたのだ。流れ落ちる量は思ったほど多くないが、それでも、これで冬までにダムを満杯《まんぱい》にできる希望が見えてきた。

もし〈死神ヴァーモンド〉がイルグラのこうした作業に気づいたら、まんまと峡谷《きょうこく》におりてくるほど愚《おろ》かではないだろう。狡猾《こうかつ》な老ドラゴンのことだ、不意討ちを警戒《けいかい》するはずだ。だが幸運にも、クルカラスの切り立った崖《がけ》のおかげで、ドラゴンのぎらつく目から湧《わ》き水《みず》の池は死角になっている。イルグラは、気づかれることなくやつを捕《とら》えられると確信していた。

そうでなければ、この計画は炎《ほのお》に焼かれて終わってしまう。

＊＊＊

三か月が過ぎ、ようやくダムが満杯《まんぱい》になった。風化してすこし裂《さ》けた壁《かべ》のふちからは水があふれ、本来流れるべき川底に落ちていく。三月《みつき》めに峡谷《きょうこく》には冬がおとずれ、この新しいダムの水にもひび割れた氷が張った。ダムの水底は暗くかげった。氷が張ったのは好都合だった——罠《わな》をさらに危険なものにできるからだ。ダムを崩《くず》したときの破壊力《はかいりょく》をさらに強くするために、イルグラは風で倒《たお》れた木を氷の上にころがし、凍《こお》りついた水面が枝の茂《しげ》みでおおわれるようにした。

これでもう、あとはヴァーモンドが重い腰《こし》をあげるのを待つばかり。飢《う》えがドラゴンを邪悪《じゃあく》な眠《ねむ》りから覚ますまで、そう長くはかかるまい。

このころからイルグラは村の者たちに、用があればいつでもたずねてくるようにと告げ、村にはもどらず山小屋にこもった。ヴァーモンドが襲来《しゅうらい》したとき、遠くにいたくなかったからだ。母親はこれをわがままだと叱《しか》ったが、部族の者たちは文句をいわなかった。こんどもまたシャーマンならあたりまえのことと受けとめた。イルグラは面目ないと思ったものの、だからといって意志をまげることはなかった。

山小屋のなかでぽつんとひとり、浮《う》かない気持ちでじっとすわり、ときには呪文《じゅもん》の言葉をつむぐ。そうやって長い時間を過ごした。ひと晩過ぎるごとに、どんどん内向きな気分になってきて、まるで自分がこの世から消え、生霊《いきりょう》となって暗いマツ林のなかを漂《ただよ》っているような気がしてくるのだった。

そんな日々のなか、イルグラはよく父親のことを思い出した。冬の日には、父は暖《だん》炉《ろ》のそばにすわってスルクナを編んでいた。模様が編み込《こ》まれたこの帯は、〈角持つ者《ホーンド》〉が部族の紋章《もんしょう》をあらわしたり、家族の系譜《けいふ》や、祖先が成し遂《と》げたことをしるすものだ。それから、父は自分とヤーナのために、シカやヤギやキツネの人形を彫《ほ》ってくれた。大きくて強い父のそばにいれば、いつもどれほど安心だったことか。

また、ある晩のことも思い出した。イルグラがまだ赤ん坊《ぼう》と変わらない年のころ、父が雌《めす》ジカを肩《かた》にかついで狩《か》りからもどってきたときのこと。シカの目があまりにもまるくて優しげだったので、イルグラはとまどった。シカを見て、とても悲しい気持ちになったのだ。だが、そのとき父がそばに膝《ひざ》をついてこういった。「怖《こわ》がらなくていいんだよ、イルグラ。ちっとも恐《おそ》ろしいことじゃない。これが世の中というものなんだ。いま、わたしたちはこのシカを食べて生きていく。そしていつか、わたしたちの体は草や木の栄養となって、べつのシカがそれを食べて生きていく。そういうものなんだ」

子どものころのイルグラは、父のその考えに心なぐさめられた。だが、いまはちがう。イルグラの心はいま、父のいわんとした真実に反論している。なにかべつの、もっといい方法があるにちがいないと心がさけんでいた。

なにかがそうだからといって、つねにそうあるべきということはないのだ。

＊＊＊

冬至の日がきた。みずからおこなったイルグラのひきこもり生活も一時中断となった。スクガロ族にとって冬至は、一年でもっとも日の短い日に歓迎《かんげい》と送別を告げる祝いの日なのだ。村では音楽が鳴り響《ひび》き、たくさんのごちそうがふるまわれ、力だめしのすばらしい技が披露《ひろう》され、部族じゅうが声援《せいえん》を送る。

祝祭がはじまってしばらくは、イルグラは小屋にこもったまま、日の光が空から消え、ヴァーモンドがおりてこないと確信できるまで待った。ドラゴンがいままで夜に襲《おそ》ってきたことはない。その習性が変わるとは思えなかった。とにかく、危険をおかしてでも、その日は峡谷《きょうこく》の拠点《きょてん》をはなれたかった。それほどまでに切実に、だれかといっしょにいたかった――村からただよってくる歌の音色に、胸がしめつけられた。

幾重《いくえ》にもかさなった厚い雲が峡谷《きょうこく》にたれこめ、ふんわりしたぼたん雪がゆっくりと

舞《ま》いおりてきた。イルグラはひとりひっそりと小屋を出て、村のわが家へとぼとぼと歩きだした。途中《とちゅう》、腹をすかせたオオカミたちの遠吠《とおぼ》えが、森のなかに響《ひび》いた。魔法の杖《ゴーゴス》がなければ、命の危険を感じただろう。

その晩は、母親とヤーナと料理をして、おしゃべりを楽しみ、いっしょにいられるよろこびを味わった。そのあとも、いろんなゲームで遊んだり、長い冬に泣き言をいったりして過ごした。いつしか、外は雪が激しくなっていた。吹《ふ》きつける雪が壁《かべ》のようになり、なにも見えない。

とつぜん、甲高《かんだか》い鳴き声が吹雪《ふぶき》の夜をつんざいた。いままで聞いたこともないような鳴き声だった。イルグラは心臓をつかまれ、全身の骨がつめたくなり、首筋の毛がチクチクと逆立つのを感じた。しばらくは動くことも息をすることもできず、ようやく鼓動《こどう》がもとにもどると、なんとかまともに反応できるようになった。

「いまのは……なに?」母親がかすれ声でいった。

イルグラにもわからなかった。クァジャードの教えのなかにも、こんな鳴き声のことはなかった。ふたたび鳴き声がした。さっきよりも大きく、風を引き裂《さ》いて響《ひび》いてきた。イルグラは頭からつま先まで震《ふる》えが走るのを感じ、杖《つえ》ゴーゴスをつかんでいきおいよく立ちあがった。

まさしく一歩踏《ふ》み出そうとしたその瞬間《しゅんかん》、黒い巨大《きょだい》なくちばしが屋根を突《つ》きやぶって現れた。巨大《きょだい》なくちばしは、その先を暖炉《だんろ》の火につっこんで火花や炭をそこらじゅうにまきちらした。紫色《むらさきいろ》の舌を怒《いか》り狂《くる》ったようにピシピシ動かしている。くちばしの先が何度も激しく暖炉《だんろ》に打ちつけられた。

イルグラは声を張りあげ、くちばしのわきをなぐりつけた。そして魔法《まほう》の言葉を発した。ガージラー（光れ）！

目のくらむ赤い閃光《せんこう》が走り、耳をつんざく金切り声とともに、くちばしが引っこんでいった。だがつぎの瞬間《しゅんかん》、家全体が震《ふる》えた。こんどは大きな鉤爪《かぎづめ》の手が二本、木の梁《はり》を引っつかんで、屋根をはぎとろうとしている。裂《さ》け目から雪まじりの突風《とっぷう》が吹《ふ》きこんでくる。

「逃《に》げるよ！」イルグラは母親と妹にさけび、いっしょに家を飛び出した。

外へ出ると、寒さと闇《やみ》のなか、イルグラの耳にまた金切り声が聞こえてきた。わが家の屋根の上に、奇怪《きっかい》な化け物がしゃがんでいるのが火あかりに浮《う》かんで見えた。イルグラの全身の血が凍《こお》りついた。怪物《かいぶつ》の体は灰色で毛がなく、ひどく痩《や》せこけている。肩《かた》からコウモリに似た羽がたれさがり、筋張った首の先に痩《や》せほそった頭があって、巨大《きょだい》な黒い——白目がなく飛び出た——目が並び、くちばしは刀剣《とうけん》さながらにの

びている。そのとき、降りしきる雪がぼろカーテンのように開き、村の反対側で建物のあいだをうろつく二匹《ひき》目の怪物《かいぶつ》の姿があらわになった。怪物《かいぶつ》はくちばしを赤い血の筋で染めながら、逃《に》げまどう〈角持つ者《ホーンド》〉たちをつついていた。

怪物《かいぶつ》は地上や空に棲《す》むどんな獣《けもの》でもなかった。イルグラの脳裏に浮《う》かんだのは、古い伝説の化け物だった——おぞましき〈ヌレッチ〉だ。神々の王スヴァーヴォクの幼い息子たちを殺した怪物《かいぶつ》。〈角持つ者《ホーンド》〉を喰《く》う化け物。死者の地にしのびより、戦士たちの骨をむさぼって辱《はずかし》める忌《い》まわしき影《かげ》。

頭のなかが恐怖《きょうふ》で乱される。

それを見すかしたかのように、近くにいるほうの怪物《かいぶつ》がふりかえった。イルグラたちに向かってヘビのように迫《せま》ってくる。イルグラたちは駆《か》けだした。つかの間、猛《もう》吹雪《ふぶき》が彼女《かのじょ》たちを隠《かく》した。

ふいに、アーヴォグ、モクター、ラージャグら戦士たちが雄叫《おたけ》びをあげ、ヌレッチに挑《いど》みかかる声が聞こえてきた。たいまつのそばに集まり、迫《せま》りくる怪物《かいぶつ》に向かって槍《やり》をかまえる戦士たちの姿が、降る雪をすかしておぼろげに見える。しかし怪物《かいぶつ》はあまりに大きく、動きが速い。〈任命されし者《アノインティド》〉をも見おろす背丈《せたけ》の怪物《かいぶつ》が、ツルのようなくちばしで、すばやく、情け容赦《ようしゃ》なく、降りしきる雪をつらぬいて戦士たちを突《つ》

き刺《さ》している。

イルグラは杖《つえ》をふりあげ、自分にできる魔法《まほう》でなんとかしようとした。だがヌレッチの前で、彼女《かのじょ》の魔術《まじゅつ》は無力だった。呪文《じゅもん》をふせぐなにかがあるのか、どんな魔術《まじゅつ》の攻撃《こうげき》もはねつけられてしまう。目をくらますことも、しばりつけることも、動きを弱めることもできない。

前の方で、〈ハーンダール〉の最年長のエルガがヌレッチにつかまるのが見えた。飢《う》えた怪物《かいぶつ》は、エルガにくちばしを突《つ》き刺《さ》し、かぶりつき、ふた口で飲みこんでしまった。逃《に》げようとしたラージャグは、腕《うで》を引き裂《さ》かれ血まみれになって倒《たお》れた。

いつかと同じあの絶望が、イルグラの胸に重くのしかかってきた。ヌレッチをとめる方法がない。吹雪《ふぶき》でぼんやりとかすむクルカラス山を見あげた。イルグラはこのとき初めて、〈死神ヴァーモンド〉に助けに来てほしいと願った。あとにも先にもこのときだけだ。じれったい老ドラゴン、なぜ、前みたいに怒《おこ》って目を覚まさない？

風がさらに強まり、不気味なうなりをあげてイルグラの角のあいだを吹《ふ》きぬけていく。ふと、猛吹雪《もうふぶき》のせいで襲撃《しゅうげき》の音が聞こえにくいことに気づいた。恐怖《きょうふ》と死の叫《さけ》びは風の音におおい隠《かく》されている。高い止まり木にいるドラゴンには、聞こえていなかったのか。

なにをすべきかはわかっていた。だがそれを考えると、イルグラの絶望は、身がすくむほどの恐怖《きょうふ》に変わった。

両手で杖《つえ》ゴーゴスを雪の上にまっすぐ立てる。風に向かって呪文《じゅもん》をとなえると、空気が澄《す》んで、あたりが静かになった。つぎに、腰《こし》のベルトから父親の角笛をつかみとり、期待と力をこめて思い切り吹《ふ》き鳴らした。堂々《どうどう》たる音が渓谷《けいこく》じゅうに響《ひび》きわたった。

さらに二回、角笛を吹《ふ》いた。すると、ヌレッチの一匹《ぴき》がイルグラに向かって這《は》い進んできてしまった。イルグラは自分のまわりにふたたび雪が吹《ふ》きつけるようにした。クルカラスの山頂ではまだなんの反応もない。ヴァーモンドが動いたようすはない。悲惨《ひさん》な結果になるかもしれない援軍《えんぐん》だとしても、やってくる望みはない。ドラゴンの無関心は、今回はイルグラたちの死を意味するのだ。

策略が失敗したことをさとると、イルグラは母と妹を探し、いっしょに隠《かく》れ穴へ向かおうとした。

と、ふいに……部族を破壊《はかい》せし大蛇《ワーム》のうなり声がとどろいた。このときだけは、イルグラはその声に感謝した。ヴァーモンドの怒《いか》りのうなりが聞こえたあと、ドサッという音の衝撃《しょうげき》で空気が震《ふる》えた。ドラゴンの翼《つばさ》が起こす突風《とっぷう》で、降る雪が渦巻《うずま》きや三角旗や三つ編みとなって吹《ふ》き飛んでいった。

視界が晴れる。ヌレッチが身をかがめ、憎《にく》しみに満ちたさけびをあげた。二匹《ひき》は地を蹴《け》って飛びあがり、山頂から飛んでくるヴァーモンドの赤い炎《ほのお》のかたまりへ向かって、すさまじい速度で飛んでいく。

「いまだよ、行って」イルグラは母と妹を隠《かく》れ穴のほうへ押《お》しやった。だが自分は動かなかった。たとえ命の危険があったとしても、その場をはなれることができなかった。

ヴァーモンドは咆哮《ほうこう》をあげ、夜の空を炎《ほのお》で焼け焦《こ》がした。ヌレッチはスズメのようなすばやさで炎《ほのお》をかわす。そして二匹《ひき》でドラゴンを両側からはさみ、くちばしと鉤爪《かぎづめ》で背中をつつきはじめた。ドラゴンは苦痛のうなりをあげ、翼《つばさ》をたたんで、村の近くの牧草地へと急降下していく。二匹《ひき》もすぐにあとを追い、ドラゴンのぎりぎりまでつめよって、翼《つばさ》に咬《か》みつき、食いちぎろうとしている。

イルグラは立ちあがり、ダムのそばの自分の小屋へ駆《か》けだした。村の者たちはみな家から逃《に》げ、森に隠《かく》れていた。アーヴォグがイルグラを呼びよせようと、手まねきをしている。

イルグラはそれに応じず、まるで敵に突撃《とつげき》するかのように、頭を低くしてさらに速

く走った。

背後では、ヴァーモンドがまだ苦痛と怒《いか》りのうなりをあげている。ずっと聞きたいと願っていた苦痛の声だ。しかしいまはただ不安がこみあげるばかりだ。暗い小道でちらりとふりかえり、悪夢の戦いが起きている位置をたしかめた。

ヌレッチは老ドラゴンより動きが速い。そのうえドラゴンと戦うことに慣れているのか、どう炎《ほのお》をかわすべきか、どうやって牙《きば》や鉤爪《かぎづめ》や尻尾《しっぽ》から逃《に》げるべきか、わかっているようだ。かたやヴァーモンドは、咬《か》みつくそぶりや、うなり声で威嚇《いかく》している。凶器《きょうき》の鉤爪《かぎづめ》がとどく間合いへ敵を誘《さそ》いこもうとしているのだ。だが灰色の二匹《ひき》の怪物《かいぶつ》は賢《かしこ》くも安全なところにとどまり、ドラゴンが背を向けたときだけ近づく。

三つの巨体《きょたい》が平原を縦横無尽《じゅうおうむじん》に戦う、恐《おそ》ろしい攻防《こうぼう》の音が山々に響《ひび》きわたっていた。あたりは火炎《かえん》のしぶきに染まり、取り囲む森のふちでは木々の枝先に火が移っている——降りつもった雪の下でパチパチとはじけながらも、それは即席《そくせき》の松明《たいまつ》となって渓谷《けいこく》をあかるく照らし出していた。

ヴァーモンドが地面に尾《お》をたたきつける。そのすさまじい衝撃《しょうげき》で足をすくわれ、イルグラは前へつんのめって倒《たお》れた。固まって凍《こお》りついた雪で額が切れ、ふうっと息を吐《は》きながらうめいた。熱い血がまぶたにたれ、目をあけていられない。イルグラは頭

をふって血をはらい、また立ちあがって走りつづけた。

ヌレッチは二匹《ひき》で鱗《うろこ》におおわれたヴァーモンドをくちばしでつつき、赤い肉のかたまりを食いちぎって攻撃《こうげき》していた。鱗《うろこ》というドラゴンの天然の鎧《よろい》も、怪物《かいぶつ》のくちばしの前で、その役目をほとんど果たしていない。手負いの雄牛《おうし》は、赤い牙《きば》をむく凶暴《きょうぼう》で無慈悲《むじひ》な二匹《ひき》のヤマネコを相手に、もはや死《し》に物狂《ものぐる》いのうなりを発している。

イルグラはそれでも走りつづけた。以前折った足はさほど力がない。のどは息をするたびに焼けるようだ。目の前にのびる道すじはかろうじて見えるくらいで、道の左右は谷底に切れ落ちる真っ暗な裂《さ》け目がある。

火のかたまりがひらひらとなびくように頭上をかすめ飛んだ。イルグラはとっさに頭をさげた。火は近くの岩にぶつかってはじけた。いい具合にそれが灯りとなり、雪が光って見える。

眼下の谷底では、イルグラが飼っていたわずかな家畜《かちく》の群れがおびえた鳴き声をあげていた。慌《あわ》てふためいた家畜《かちく》が柵《さく》をこわす音が聞こえてくる。動物たちは鳴き声をあげ、檻《おり》から逃《に》げていった。イルグラは気にしなかった。おとりの餌《えさ》にするつもりだった動物だ。きっとこれで生きのびてくれるだろう。

ようやく目的のものが見えてきた——ダムだ。銀色の霜《しも》がクモの巣のように表面を

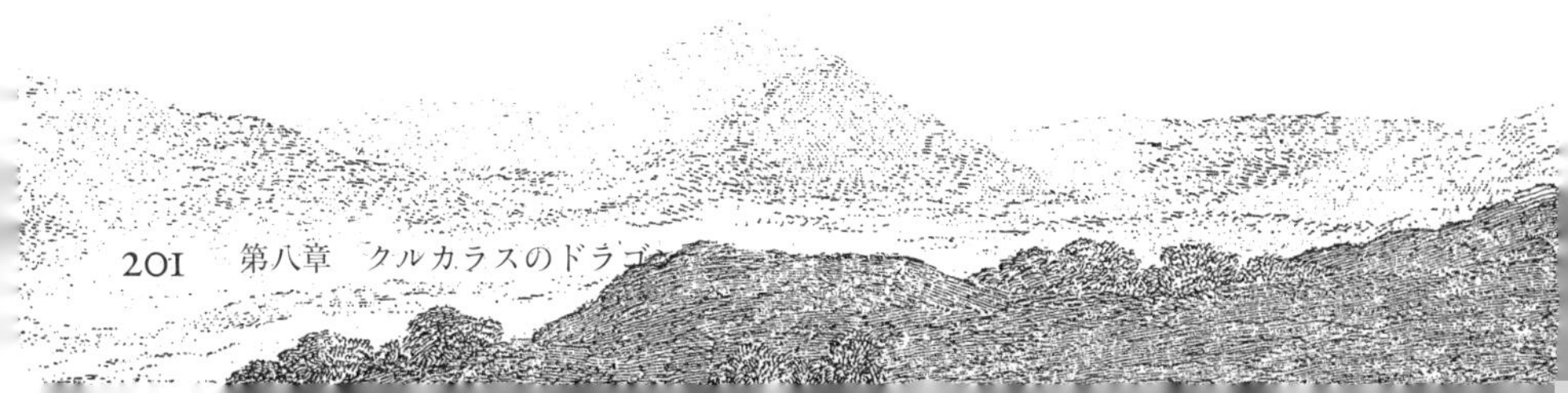

おおっている。イルグラは土手を大股《おおまた》で駆《か》けのぼり、氷の張ったダムの岸で立ちどまった。

咳《せ》きこんで、あえぐように息をして、額から血をたらしながらも、イルグラはそこに立って谷をふりかえった。谷はヴァーモンドとヌレッチの死闘《しとう》でめちゃめちゃになっている。二匹《ひき》の怪物《かいぶつ》はヴァーモンドを森のふちまで押《お》しやっていた。そこは山に向かって地面がせりあがっているせいで、ドラゴンは動きにくそうにしている。イルグラが見ているあいだにも、怪物《かいぶつ》の一匹《ぴき》がドラゴンの左の翼《つばさ》に飛びついて地面に押《お》さえつけ、もう一匹《ぴき》はドラゴンのあばらを引き裂《さ》きながらのど首まで迫《せま》っていた。

ヴァーモンドは二匹《ひき》をはらいのけようと必死に身をよじるが、怪物《かいぶつ》たちはがっちりとくらいついてはなさない。一匹《ぴき》がドラゴンの首にしがみついてつつきだすと、老ドラゴンは首を巻いて自分の体のなかに頭をつっこみ、隠《かく》した。

ヌレッチはあらわになったドラゴンのわき腹に近づくと、羽を高く広げ、勝ちほこったように甲高《かんだか》い声をあげた。

「だめ！」イルグラはさけんだ。このままでは、せっかくのチャンスをのがしてしまう。いますぐダムをこわすことはできても、ヌレッチを（そしてヴァーモンドを）確実に葬《ほうむ》るには、距離《きょり》が遠すぎる。水の壁《かべ》がその役目を果たせるように、なんとかして怪物《かいぶつ》たちをこちらへ引きよせなければ。

　イルグラは必死の思いで、ヴァーモンドに自分の意識を向けた。ドラゴンの意識は探りあてたが、気づかせることができない――痛みに苦しめられ、イルグラのかすかな思考など気にするよゆうがないのだ。ドラゴンの意識とくらべれば、イルグラなど無にひとしかった。ヴァーモンドの内なる存在は燃えさかる大火。イルグラはそのわきでちらちらと燃えるロウソクの火にすぎないのだ。

　ふいに、ハッとしてわれに返った。焦《あせ》りが胸に襲《おそ》いかかる。もう時間がない――いますぐなにかしなければ、すべてが水の泡《あわ》だ。たとえヴァーモンドを追い払《はら》っても、かわりにヌレッチが残ることになろう。しかもやつらはドラゴンよりも歯止めがきかない。スクガロ族を皆殺《みなごろ》しにして、部族の骨でクルカラスの頂上に巣をつくるだろう。伝説はそう語っている。

　鉤爪《かぎづめ》でずたずたになった戦場では、攻《せ》めたてる怪物《かいぶつ》たちの下でヴァーモンドがのたうちまわっていた。

　そのとき、頭のなかである考えが、煌々《こうこう》と光をはなった。ドラゴンを眠《ねむ》りから覚まし、戦いの場にひっぱり出したのは角笛だ。角笛の音をもう一度聞けば、もしかしたらヴァーモンドは気づいて、もしかしたら……。

イルグラは半歩前に歩み出て、父の角笛をつかみ、唇《くちびる》に押《お》しあてた。そして思いきり力をこめて吹《ふ》き鳴らした。その音は谷のすみずみまでこだまするほどだった。村の向こう側で、スクガロ族の者たちが揺《ゆ》らめく影《かげ》のなかから現れ、イルグラの小屋のほうを見て、おどろきと好奇《こうき》の表情を浮《う》かべている――イルグラが吹《ふ》いたのは召集《しょうしゅう》の笛なのかと首をかしげているようだ。

たしかに召集《しょうしゅう》の笛だ。だが呼んでいるのは仲間ではない。イルグラは村の者たちに、もどるようにと手をふって合図した。伝わったかどうかはわからない。なんとか峡谷《きょうこく》に近よらずにいてほしいと願った。怪物《かいぶつ》に殺されることも、水に押《お》し流されることもないように。

もう一度角笛を吹《ふ》こうとしたとき、ヴァーモンドがはじけとばすようなうなり声をあげ、その身を高く起こした。二匹《ひき》の怪物《かいぶつ》は羽をバタバタさせながら、両側にほうり出された。ずたずたに打ちのめされ、無数の傷から血を流していてもなお、ドラゴンはどちらのヌレッチよりもはるかに力が強かった。

ヴァーモンドはよろめきながら前へ進みだす。その地響《じひび》きでイルグラもよろめき、物言わぬ木々からは粉の幕のように雪が舞《ま》い落ちた。二匹《ひき》のヌレッチは金切り声をあげてあとを追い、ヴァーモンドの首と肩《かた》に飛びかかった。だがドラゴンは怒号《どごう》とともに

に（イルグラの角笛に反応してか）峡谷《きょうこく》の入り口へ向かって跳躍《ちょうやく》し、ぼろぼろの翼《つばさ》を半開きにして、長くひとっ飛びした。

ドラゴンが氷塊《ひょうかい》の漂《ただよ》うせまい峡谷《きょうこく》におり立つと、きらめく氷の結晶《けっしょう》が音を立ててはねあがった。

イルグラは思った。ついにそのときが来た。

杖《つえ》をにぎりしめ、ダムのてっぺんを打ちつけ、耳ざわりな声で魔法《まほう》の言葉をただひとつ発した――ジエルダ（こわれろ）！　その言葉は、杖《つえ》ゴーゴスに閉じこめたパワーの嵐《あらし》を解きはなち、ダムの岩全体に混乱を巻きおこすカギだった。

ダムは震《ふる》え、壁《かべ》がひび割れた。足もとの土手がおどろくほど沈《しず》み、イルグラはあわてて地盤《じばん》のかたいところへあとずさった。

（イルグラが積んだ）花崗岩《かこうがん》がすさまじいいきおいで、めりめりと崩《くず》れはじめる。張った氷はくだけ、ダムの水面はバラバラになり、凍《こお》ったかけらがそこらじゅうに飛びちった。そして、ヴァーモンドの重く低いうなり声よりも大きな轟《とどろ》きとともに、ダムが決壊《けっかい》した。氷と倒木《とうぼく》のまじった水の壁《かべ》がいっきに峡谷《きょうこく》を流れ、ヴァーモンドとヌレッチのところへ押《お》しよせていった。怒涛《どとう》の流れが三匹《びき》を襲《おそ》い、噴《ふ》きあがる泡《あわ》のなかにのみこむ。氷のぶつかる音や、倒木《とうぼく》のきしむ音が聞こえてきた。

奔流《ほんりゅう》のなかで、巨大《きょだい》な三体の影《かげ》が激しくのたうちまわっていた。流れがおさまってくると、ヴァーモンドの背中の突起《とっき》が――長く沈《しず》んでいるには体が大きすぎる――水面に現れ、ぴくりとも動かなくなった。ドラゴンの背中には、まるでふるいのように丸太や枝が引っかかり、ギザギザの山と化していた。

イルグラは揺《ゆ》れる地面に這《は》いつくばって、狩猟《しゅりょう》の女神ラーナや神々の王スヴァーヴォクやあらゆる神々に祈《いの》った。

ダムからの水はすごい速さで流れ去り、田畑をぬけて南へ抜《ぬ》けていった。二匹《ひき》のヤギがメーメー鳴きながらいっしょに流されていく。イルグラは杖《つえ》ゴーゴスで体をささえ、ゆっくり立ちあがった。

そして、あらためて自分のやりとげたことを目にした。水が引いた峡谷《きょうこく》の入口付近、ぐちゃぐちゃな堆積物《たいせきぶつ》のなかに、強大なヴァーモンドが横たわっている。同じく二匹《ひき》の怪物《かいぶつ》も。一匹《ぴき》はドラゴンののこぎり歯状の鉤爪《かぎづめ》の下に、首を不自然な角度にまげて倒《たお》れている。もう一匹《ぴき》は、すこし東にはなれたところで、灰色の手足をからめてころがっている。

巨大《きょだい》なふいごのようなヴァーモンドのあばらはまだ動いていた。だが、その動きは弱々《よわよわ》しく、しわだらけの老ドラゴンが生きている兆候はほかに見あたらない。鼻孔《びこう》か

ら煙《けむり》は出ていない。大きくあいた口から炎《ほのお》の光は漏《も》れていない。まぶたの下の細い切れ目には、なんの動きもない。

＊＊＊

にわかに勝利のよろこびがわきおこり、イルグラの胸はいっぱいになった。やるならいまだ！　すばやく、正確に仕留めれば、ヴァーモンドに苦しめられた世界を終わりにできる。そしてついに父の仇《かたき》を討つことができる。ドラゴンの黒ずんだ心臓をえぐりとり、自分のものとなったその心臓を神々への感謝をこめて燃やしてやるのだ。

イルグラは峡谷《きょうこく》沿いの道を、足の力をぎりぎりまでふりしぼって走った。ドラゴンの息づかいはすでにずいぶん大きくなっている。実行する時間はほんのわずかしかない。

丘《おか》のふもとにたどり着いたとき、呼ぶ声が聞こえた。

「イルグラ！」

森のはずれから妹が現れ、ヴァーモンドのほうへ駆《か》けてくる。ナイフを高くふりあげ、歯をむき出して戦意をあらわにしている。

「もどりなさい！」イルグラはさけんだが、ヤーナは聞こうとしない。ドラゴンののどをみずからかっ切ろうと意気込《いきご》んでいるのだ。このときイルグラは初めて、妹はもう幼い子どもではないのだと気づかされた。ほかのだれにも負けないくらい、戦う意欲にあふれた立派なスクガロ族の一員なのだ。

イルグラのなかにぶつかりあう感情が生まれ、たがいに争った。身勝手な思い、不安、おどろき。だがすぐに決意した。決意とともに連帯感がわいてくる。ヤーナとふたりでドラゴンを討つのだ。

ヤーナにふたたび呼びかけようとした瞬間《しゅんかん》、遠くに倒《たお》れていたヌレッチの一匹《ぴき》が動くのが見え、イルグラはぎょっとした。怪物《かいぶつ》は折れた足で立ちあがり、前後に頭をふりながら獲物《えもの》のにおいを探っている。そして耳ざわりな金切り声をあげ、役立たずになった羽を引きずって、ぐちゃぐちゃに荒《あ》れたつめたい地面を、ヤーナに向かって歩きはじめた。

ヌレッチの声を聞いて、ヴァーモンドの巨体《きょたい》に震《ふる》えが走った。イルグラにはわかっていた。もしいまわたしがヤーナを助けに行けば、ドラゴンを倒《たお》す機会を完全にうしなってしまう。ヴァーモンドの足は力を取りもどしている。たとえ傷を負い、弱っていようと、自分たちよりはるかに強い。杖《つえ》ゴーゴスにはもはや頼《たよ》るべきエネルギーのたくわえはなく、残るは自分の体のなかのエネルギーのみ。ドラゴンのそれとはおよびもつかないほどわずかだ。

苦悩《くのう》で胸が引き裂《さ》かれる。結局、イルグラの選択肢《せんたくし》はひとつしかなかった。恐怖《きょうふ》と怒《いか》りのさけび声をあげながら、イルグラは倒《たお》れたドラゴンのわきを通りすぎ、妹のもとへ駆《か》けよった。

ヌレッチがくわっと口をあけ、ふたりに襲《おそ》いかかる。イルグラは杖《つえ》ゴーゴスを高くかかげ、肉体に残るパワーをしぼり出してさけんだ。「ブリジンガー!」杖《つえ》の先から火が噴《ふ》き出し、怪物《かいぶつ》の頭に炎《ほのお》が滝《たき》のように降りかかった。

ヌレッチはあとずさって、ふたたび金切り声をあげた。イルグラがその声の大きさにひるむと、杖《つえ》の炎《ほのお》はすうっと弱くなって消えた。この瞬間《しゅんかん》、覚悟《かくご》した。自分は過去から現れた悪夢に食い殺されて死ぬのだ。自分の野望が打ちくだかれたせいで、妹までもが殺されるのだと。

くちばしをカチカチ鳴らしながらヌレッチが襲《おそ》いかかってきた。そのとき、とつじょとして地面が激しく震《ふる》えた。頭の上を流れるように黒い鱗《うろこ》が現れ、くさったよう

な風があたりに吹《ふ》きつけた。そして、死を予感させるすさまじい亀裂《きれつ》音が響《ひび》いた。
イルグラは妹におおいかぶさって身をかがめた。もう一度、おずおずと目をあげると、舞《ま》う雪のなかくっきりと、ヴァーモンドの黒い巨体《きょたい》がふたりの上にそびえ立っていた。そしてその巨大《きょだい》な口からぶらさがっているのは、ぎらつく牙《きば》につらぬかれた怪《かい》物《ぶつ》のグニャッとした体だった。

神をも殺《あや》めた怪物《かいぶつ》は仕留められた。

その瞬間《しゅんかん》、イルグラは安堵《あんど》をおぼえた。ありがたいとさえ思った。だが、どちらの気持ちも、忌《い》まわしい破滅《はめつ》の運命の前でたちまち消え去った。野望をかなえるまで、あとわずかだった。ほんとうにあとわずかのところだった。またしても、手をすりぬけていった。そしていま、自分とヤーナは、大食らいのドラゴンの真下にいる。

ヴァーモンドは鼻をクンクンさせ、毛のない不気味な怪物《かいぶつ》の、灰色の死骸《しがい》を口から落とした。犬のように頭をブルブルッとふると、血しぶきが湯気を立てて飛びちり、大水が去ったあとの地面に雨のように降りそそいだ。黒光りするヴァーモンドの血がひとしずく、イルグラの腕《うで》にも飛んできた。その血は溶《と》けた鉛《なまり》のように熱い。皮膚《ひふ》が焼け、思わず声をあげた。

ヴァーモンドがイルグラの声に気づいた。視線を下に向け、つぎに頭を低くさげ、

ついには赤々《あかあか》と燃えるうつろな目がイルグラの正面におりてきた。イルグラはその近さにおののいた。

逃《に》げ出したい衝動《しょうどう》を必死でおさえた。ドラゴンから逃《に》げきれるのぞみはない。剣《けん》や魔術《まじゅつ》でしのげるのぞみもない。イルグラは最後まで挑戦《ちょうせん》的な態度をつらぬき、背筋をのばして立った。ヤーナは腕《うで》にしがみついている。

そのとき、ドラゴンの意識が自分の意識にふれるのを感じた。大きく、寒々《さむざむ》として、他を威圧《いあつ》するような意識だった。そこからは感謝も、同意も、気づかいも、配慮《はいりょ》も、なにも伝わってこない。しかし、ただひとつだけ、ドラゴンから受けとったものがあった。

それは、認めるということだった。ヴァーモンドはもう無関心ではない。イルグラの存在を認めたのだ。よそよそしく、ひややかながらも、おまえに関心をもっているという感情が伝わってきた。いまだ獲物《えもの》と見られているとしても、イルグラがやったことは、傷だらけの老ドラゴンからそれなりの評価をもらったのだ。

けっして小さなことではなかった。

鼓動《こどう》が七回打つあいだ、イルグラとドラゴンはたがいに近づいたままでいた。たった七回の鼓動《こどう》のあと、そびえ立つように巨大《きょだい》な意識はイルグラの心のなかからしりぞ

いていった。ふいに、ヴァーモンドが鼻を鳴らし、熱い息をイルグラに吹《ふ》きかけた。むせかえるような硫黄《いおう》のにおいがイルグラを襲《おそ》った。視界がぼやけ、気が遠くなって思わず片膝《ひざ》をついた。ヴァーモンドはイルグラたちの上をまたいで通りすぎようとしていた。きらきらと燃える森の炎《ほのお》を背に、青白い鱗《うろこ》の腹が現れたかと思うと、ドラゴンのつめたい影《かげ》はふたりからはなれていった。

イルグラは目をぎゅっとつぶり、膝《ひざ》をついたままじっと待った。地面が静かになり、ヴァーモンドの足音が遠い鐘《かね》の音のように消えていくのを待った。ヤーナの手が触《ふ》れて、ようやく目をあけた。「イルグラ！　いなくなったよ！　わたしたち助かったんだ！」

イルグラはそこで初めて立ちあがってヴァーモンドを見た。ドラゴンは翼《つばさ》をケガしていた——飛べないのだ。山肌《やまはだ》に血の痕《あと》を残し、木々を倒《たお》しながら、けわしいクルカラス山をのろのろと、くたびれた足どりでのぼっていく。いまにも倒《たお》れそうで、二度と起きあがれないようにも見える。イルグラは思った。部族がドラゴンから解放されるのぞみはまだあるのだろうか？

それを知っておくべきだ。

ほどなく、ドラゴンの姿は降りしきる雪の幕で見えなくなった。ヤーナがイルグラ

のチュニックを引いて、帰ろうとうながした。「やれることはすべてやったよ。父さんの恨《うら》みは晴らせなかったけど、死を悼《いた》むことはできた。これでじゅうぶんだよ。帰ろうよ」だがイルグラはウンといわず、そこにいて手負いのヴァーモンドが帰還《きかん》していく姿に目をこらし、耳をすませることをえらんだ。

問題はまだ解決していない。

谷の上流のほうでは、スクガロ族の者たちが隠《かく》れ場から姿を現わしはじめていた。アーヴォグら数名の戦士が武器を手に、イルグラとヤーナのいる泥《どろ》だらけの戦野に小走りで駆《か》けよってきた。

戦士たちはヌレッチの死骸《しがい》を調べ、怪物《かいぶつ》たちが二度と部族を苦しめないことを確かめた。それからイルグラに向かって、感謝したり、褒《ほ》めたたえたり、おだてたり、叱《しか》りつけたり、いろいろな言葉をつたえた。だがそれでも、イルグラはその場を動こうとしなかった。

やがて戦士たちもヤーナもそこを離《はな》れていった――ケガを負った者を手当てしたり、くずれた家から物を運び出したりするためだろう。

イルグラがそこに残ってしばらくすると、はるか遠くから岩をかく鉤爪《かぎづめ》の音が聞こえてきた。やがて、〈死神ヴァーモンド〉はクルカラスの山頂で力強い咆哮《ほうこう》を発し、

炎《ほのお》を噴《ふ》いた。雲を染めるその炎《ほのお》は、闇夜《やみよ》を一晩中あかるく照らすほどだった。

そしてドラゴンは静かになった。イルグラにはわかっていた——ヴァーモンドは死なない。不運なスクガロ族は、ドラゴンを追い出すことはできなかった。

イルグラは両手で杖《つえ》をつかんでよりかかった。湧《わ》き起こるあらゆる感情をとじこめておくには、心臓が小さすぎた——ヴァーモンドに向かってさけんでみたが、ドラゴンは気づくようすもない。混乱のあまり体じゅうがこわれそうだった。

激しい風がおさまってくると、降る雪のなかにすきまが現れ、その向こうにクルカラスの山頂が見えた。そこにのっているのは、〈死神ヴァーモンド〉の不気味な姿だった。

イルグラはしばらくじっとドラゴンを見つめていた。やがて、つめたい空気を思いきり深く吸いこんで、吐《は》く息といっしょに苦しみを吐《は》き出した。そう。ひとつだけ、はっきりしたことがある——自分たちはつねになにかの餌食《えじき》になるべくねらわれている、ということだ。ヴァーモンドがいなければ、怪物《かいぶつ》ヌレッチがいる。ヌレッチがいなければ、またべつの、同じくらいどう猛《もう》な生き物がいる。それは、〈角持つ者《ホーンド》〉にとっても、ほかのどんな生き物にとってもひとしい。生きてゆくことのおおもとにある事実なのだ。例外はない。クマもオオカミもネコも、いかに恐《おそ》ろしい捕食者《ほしょくしゃ》で

あっても、それは変わらない。みないつかは餌食《えじき》になる。「そうなるか、ならないか」の問題ではない。「いつそうなるか」の問題なのだ。

ヴァーモンドはヌレッチからイルグラたちを救った。ヴァーモンドがいなければ、村じゅうがヌレッチに食いつくされていただろう。しかしイルグラはわかっていた。この先スクガロ族がヴァーモンドに大きな情け深さを期待できるわけではない。それはドラゴンの習性ではない。ヴァーモンドはこれからも村の上に飛んできては、彼《かれ》らの家畜《かちく》を食い、田畑を荒《あ》らし、立ち向かおうとするおろか者をたたきつぶすだろう。いまも、これからも、同じことだ。

イルグラがヴァーモンドに立ち向かう日は、いつかまた来るだろう。いつかドラゴンが彼女《かのじょ》を食いにやってくるかもしれないし、あるいは、イルグラがふたたびクルカラス山にのぼって一対一の勝負をいどむかもしれない。いずれにしろ、いつかくる。来年になるか、はたまたイルグラが白髪《しらが》になってからのことかわからない。両者がふたたび相まみえたとき、ひとつだけ確かなことがある——ヴァーモンドはイルグラを知っているということ、おぼえているということだ。そのとき、たとえどんなに容赦《ようしゃ》ないあつかいをされようと、イルグラは少なくとも、ドラゴンは自分を知っているという満足感を得られるだろう。

ともかく、イルグラの冒険《クエスト》はひとまず終わった。ダムはこわれ、水も枯《か》れ果てた。杖《つえ》ゴーゴスの力も同じく枯《か》れ果てた。ヴァーモンドはひどいケガを負ってはいるが、イルグラにはもはやドラゴンと戦う術《すべ》も意欲も残ってない。いまのところ。そしてこの先もどうにかなるとは思えない。ケガをしていようがいまいが、ドラゴンはイルグラやスクガロ族の手に負える相手ではなかった。ヌレッチのような暗黒の伝説から生まれた怪物《かいぶつ》でさえも、ドラゴンには歯が立たなかったのだ。

村から歩いてくるひとりの姿があった。イルグラの母だ。毛布と傷に塗《ぬ》る軟膏《なんこう》を手にしている。母はイルグラの肩《かた》に毛布をかけ、ヴァーモンドの血で火傷《やけど》を負った腕《うで》に軟膏《なんこう》を塗《ぬ》ってくれた。

母はいった。「さあ、帰るんだよ、イルグラ、この悲しい場所はもう離《はな》れよう。おまえの居場所へもどっておいで」

ふいに、イルグラは夢から覚めたような気がした。

そして背を向けた――血にまみれて眠《ねむ》る大蛇《ワーム》に背を向け、雪をかぶってそびえるクルカラス山に背を向け、ダムの残骸《ざんがい》やそのわきの山小屋に背を向けた。そうしたものすべてに背を向け、一歩ごと杖《つえ》によりかかりながら、イルグラは母とともに村へ向かってゆっくりと歩きはじめた。

もう、ひとりでいることはない。その時は終わった。ふたたびスクガロ族の日々の暮らしにもどるのだ。伴侶《はんりょ》を――たぶん、アーヴォグを――得て、子どもをつくろう。そして、毎日ありとあらゆる機会に酒をたらふく飲んで、先の運命のことなど心配せずに暮らすのだ。

イルグラは杖《つえ》を見た。もはやゴーゴス〝復讐《ふくしゅう》〟ではない。〝受け入れること〟を意味する〈ワラング〉と呼ぼうと決めている。いまや空《から》になってしまったサファイアは、つぎへつなぐ遺産だ。イルグラが時間と労力をかければ、そこにかつての栄光を取りもどすことも可能だ。

イルグラはあらたな目的があたえられたのを感じながら、背中をのばし、歯をむき出した。わたしの名前はイルグラ・ヌレッチ・スレイヤー。どんな悪夢も恐《おそ》れはしない。

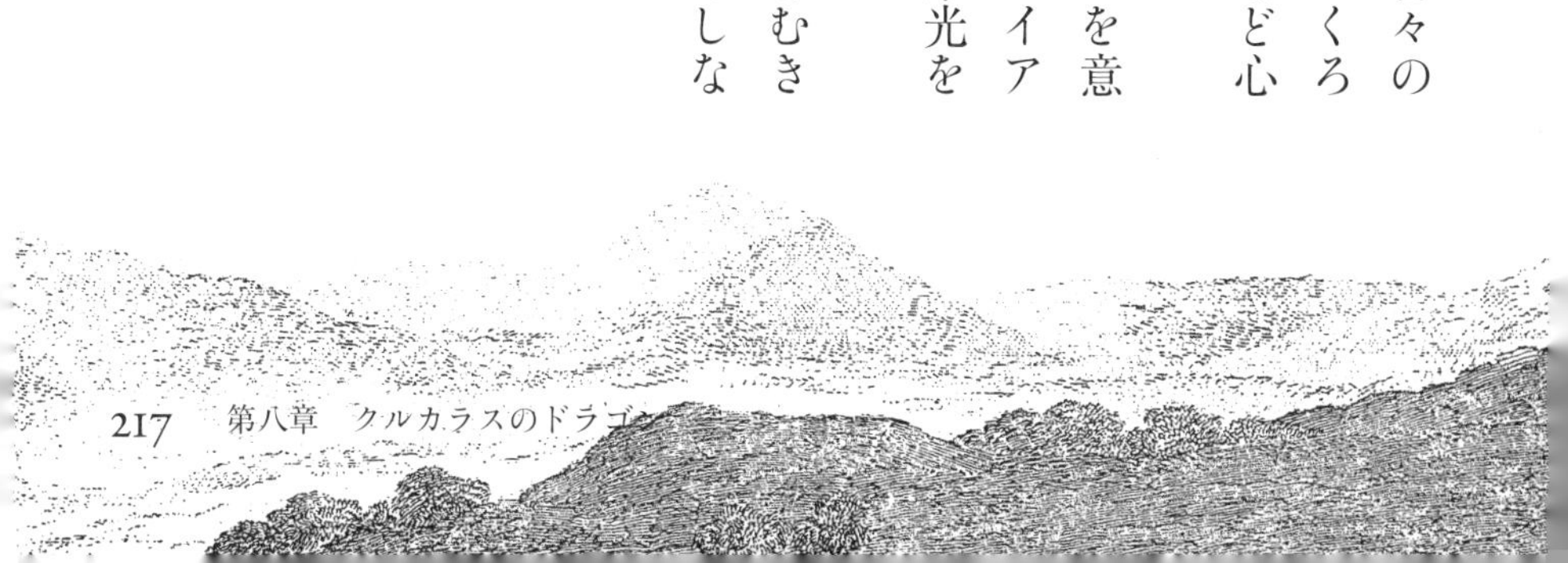

第九章　あらたなはじまり

アーンゴール山の要塞《ようさい》の本殿《ほんでん》のなかで、アースクの最後の言葉が静かに消えていった。アースクが膝《ひざ》にはさんだ太鼓《たいこ》をたたくと、太く鈍《にぶ》い音が石の壁《かべ》に響《ひび》きわたり、物語に終止符《しゅうしふ》を打った。

エラゴンは自分もまた夢から覚めたような気分で、まばたきをして、顔をぬぐった。暖炉《だんろ》のまわりでほかのアーガルたちも、命を得た彫像《ちょうぞう》のように動きだしている。

スカーガズはひと声うなって立ちあがり、アースクのすわる場所へ大またで歩いていった。そして自分より小柄《こがら》なアースクの角をつかむと、ガツンと荒々《あらあら》しく頭を突《つ》きあわせた。

アーガルたちがどっと笑い声をあげる。スカーガズはいった。「よくやった、アー

スク！　いい語りっぷりだった。部族の誇《ほこ》りだぞ」

頭突《ずつ》きの衝撃《しょうげき》でうしろによろけながらも、アースクは歯をむき出し、どう猛《もう》な笑みを浮《う》かべた。そして、同じぐらい激しいいきおいでスカーガズに頭突《ずつ》きを返した。

「ナー・スカーガズ、部族の名誉《めいよ》のために」

アースクが語るあいだに、暖炉《だんろ》の火は燃えつき、空気はつめたくなっていた。エラゴンは窓の外を見て、いまは何時ごろだろうと考えた。空は暗く、銀色の月の光すらなく、まるい目のフクロウも暗いマツの木の巣でしんとしている。いつも仕事で夜更《よふ》かしするときよりもっとおそい時間だが、エラゴンは気にしなかった。

「すばらしい話だったよ、アースク」エラゴンはすわったまま、精一杯《せいいっぱい》深くお辞儀《じぎ》をしていった。「ありがとう」なぜスカーガズがこの物語を語らせたがったのか、いまになってわかり、エラゴンはうれしく思った。つねになにかしら学ぶべきことがあるようだ――アーガルからでさえも。

〔そう思うだろう？〕エラゴンはサフィラにたずねた。

同意の気持ちがつたわってくる。〔イルグラが気に入った。でもヴァーモンドのほうがもっといい。ドラゴンが勝つのは当然のこと〕

エラゴンはかすかに微笑《ほほえ》んだ。それから、声を出していった。「いまのは本当の話

なんだろうか？」

「もちろん、本当の話だ！」スカーガズが大声でこたえ、ドタドタと歩いて椅子《いす》にもどってきた。「ライダー、まちがった話を伝えたりはしない」

「いや、つまり、どれもこれも現実に起きたことなんだろうか？　イルグラは実在した？　ヴァーモンドや、クルカラス山は？」

スカーガズはあごをかき、黄色の目に考えこむような表情を浮《う》かべた。「これは大昔の話なんだ、ライダー。わが種族が海をこえる前の時代にさかのぼる。だが、この物語はそのとおり起こったのだと思うぞ……いまもなお、アーグラールグラは娘《むすめ》にイルグラと名づけることが多いからな。彼女《かのじょ》のおかげで、われわれはみな、ヴァーモンドという打ち負かせぬものがいると心得ているのだ。これはいい教訓だと思っている」

「たしかに、いい教訓だ」エラゴンはいった。ある意味、エラゴンもまた、ガルバトリックスという名の自分なりのヴァーモンドを倒《たお》しはしたが、それでもまだ、生きてゆくなかではどうしても打ち負かせないものがある——だれにも克服《こくふく》できないことが。冷静に考えるとそうなのだ。もっと若いころなら、エラゴンはその考えにただひたすら悩《なや》まされただろう。だが、いまは受け入れるという知恵《ちえ》がついた。たとえ幸せな気分にはなれなくとも、少なくとも心おだやかでいられるし、それはじゅうぶん贈《おく》り物にあたいすることだ。

エラゴンはこう考えるようになった。幸福とはいつか過ぎ去るもので、追い求めるのはむなしい。それにくらべ、満足はめざすべき目標としてずっと価値があるのではないかと。

「任命されし者《アノインティド》というのは――」エラゴンはいった。

「われらの言葉では、カルと呼んでいる」アースクがこたえた。

エラゴンの想像どおりだった。「それと、ヌレッチはレザルブラカだね?」その怪《かい》物《ぶつ》の名を口にしたとき、室内に暗い影《かげ》が落ちたように思えた。

スカーガズが咳《せき》ばらいをした。「ああ、クソッ! あのいまいましいやつのことを口にせねばならんのなら、そう、そのとおりだ。ライダー、最後の生き残りを倒《たお》してくれてよかった。ドラゴン、そなたにも礼をいう」スカーガズが会釈《えしゃく》すると、サフィラはそれにこたえてまばたきをした。

「ほんとうにそうならいいけど……」エラゴンは小声でつぶやいた。アラゲイジアじゅうにラーザックの卵を隠《かく》してあるというガルバトリックスの言葉を、いまも夜な夜な思い出す。イモ虫が蝶《ちょう》になるように、ラーザックが成長すればレザルブラカにな

る。あらゆる魔法《まほう》を習得したいまでも、ラーザックにしろレザルブラカにしろ、またあの怪物《かいぶつ》と対峙《たいじ》することを考えると、とても落ち着かない気持ちになるのだ。

広間の奥《おく》のほうでざわめきが起こり、それと同時に、〈色彩《しきさい》の間《ま》〉の〈エルドゥナリ〉たちの心の乱れがつたわってきた。

エラゴンは不安を感じて立ちあがった。サフィラもシュッと息を噴《ふ》き、鉤爪《かぎづめ》で床《ゆか》を引っかいて立ちあがった。

ブロードガルム、エイストリス、リルヴェンをはじめ、エルフたちが足早に大広間を横切ってくる。エルフたちは白い歯を見せ、にっこり笑っている。その足どりは軽やかだ。ふだんの彼《かれ》らの品位あるふるまいとはずいぶんちがって見えて、エラゴンはどう反応すべきかとまどった。しかめっ面や無表情や冷たい顔のほうが、ずっと見慣れているのだが……。

「エブリシル」肩《かた》をおおうダークブルーの毛を興奮でゆらしながら、ブロードガルムはエラゴンに呼びかけた。

「なにかまずいことでも起きたのですか?」エラゴンはいった。

背後でアーガルたちが、まるでエルフの攻撃《こうげき》にそなえるかのように、騒々《そうぞう》しい足音を立ててどやどやと集まってくる。そして〈エルドゥナリ〉の意識は、ありとあらゆ

る言葉や思考や映像や感情で入り乱れていた。エラゴンはその感覚の嵐《あらし》にたじろいだ。読みとろうという試みさえくじかれる。

サフィラは体をふるわせてうなり、長く白い牙《きば》をむいた。

すると、ブロードガルムが満面に笑みを浮《う》かべ、うれしそうに笑い声をあげた。

「まずいことなどありませんよ、エブリシル。まったくその逆です。それどころか、万々歳《ばんばんざい》ですよ！」

エイストリスがいった。「卵がひとつ、孵《かえ》ったのです」

エラゴンは目をぱちくりさせた。「卵って――」

「ドラゴンの卵が孵《かえ》ったんですよ、エブリシル！」と、ブロードガルム。「あらたなドラゴンが生まれたんです！」

サフィラが首を高くのばし、暗い天井に向かって歓喜《かんき》の咆哮《ほうこう》をあげた。アーガルたちは足を踏《ふ》みならしながらさけんだ。大広間全体が祝賀の歓声《かんせい》でわきかえった。

エラゴンも笑顔になった。

杯《さかずき》を頭上高く持ちあげ、人目もはばからず大きな雄叫《おたけ》びをあげた。これまで身を粉にしてはたらいたことすべてが――朝から晩まで呪文《じゅもん》の習得に明け暮れたことも、食糧《しょくりょう》や政《まつりごと》や人間関係のことで悩《なや》みがつきなかったことも――そのすべてが、無駄骨《むだぼね》ではなかったのだ。

ドラゴンのための、あらたな夜明けがおとずれたのだ。

終わり

名称と言語

◉名前の起源

本書をなにげなく手に取った読者の皆さんから見れば、アラゲイジアを旅する勇敢な読者諸君がそこで出会うさまざまな地名は、文化も歴史もない名前をなんの脈絡もなく適当に集めたものと思われるかもしれない。しかし、異なる人種――ここでは異なる種族――が新たな地への入植をくりかえしてきたのと同様に、アラゲイジアもまたドワーフ、エルフ、人間、そしてアーガルなどいろいろな言語を起源とする特有の地名がつけられている。パランカー谷（人間の言語の名称）、アノラ川、リストヴァクベーン（エルフの言語の名称）、ウトガード山（ドワーフ語の名称）など、ちがう言語の名称がほんの数平方マイル内に存在するのはそうした理由によるものだ。

これは種族の歴史としては非常に興味深いことなのだが、実際に正しい発音をしようとすると混乱をまねくことにもなるだろう。残念ながら、初心者の方に向けての基本的なルールはない。起源となる言語がとっさに判断できるなら別だが、たいていはそれぞれの名称を用語としてそのまま覚えていただくしかないのだ。また、さらに混乱のもととなるのは、多くの地でそこに住み着いた者たちが、それぞれが使いやすいように他種族の言葉のスペルと発音を変えている、という点だろう。いい例がアノラ川だ。もともとanoraは、古代語で「広い」の意味を持つäenoraというつづりだった。人間はこれを文字にするとき、簡単にanora（アノラ）と書きかえた。äe（イー・エア）という母音を、よりシンプルなa（ア）に変えてできたものが、エラゴンの時代に登場する地名となったのだ。

◉古代語／ドワーフ語／アーガル語　小辞典

《古代語》アージェトラム＝銀の手
アトラ・エステルニ・オノ・セルドゥイン＝御身に幸運のあらんことを
ブロードガルム＝血のオオカミ

ブリジンガー＝炎／燃える
ドゥ＝冠詞（英語のthe）
ドゥ・ヴラングル・ガータ＝曲がりくねった道
ドゥ・ウェルデンヴァーデン＝守りの森
エブリシル＝師匠
エルドゥナリ＝ドラゴンの心の核
フェル・シンダリ＝夜の山
フィニアレル＝将来有望な若者
ガージラー＝光／光る
ジェルダ＝壊れる／切れる
クヴェッタ・フリケイヤ＝こんにちは、友よ
レザルブラカ＝毛なしの鳥
メルスナ＝溶ける
リサ＝あがる
シャートゥガル＝ドラゴンライダー
ヴィエタ＝希望

《ドワーフ語》
アーンゴール＝白い山
バーズル＝忌まわしい
ビオア＝洞穴グマ（古代語由来）
ダーグライムスト＝部族
ゴール＝山
ゴール・ナーヴェルン＝宝石の山
インジータム＝鍛冶職人
ジャーグンカーメイダー＝ドラゴンライダー
ムーンヴロース＝ドワーフがつくるハチミツ酒
トロンジヒーム＝巨人の舵（別名「都市の山」）

《アーガル語》
ドラジル＝ウジ虫の卵
ゴーゴス＝復讐
ハーンダール＝アーガルの部族を統率する女性の長老たち。
またはその個人を指す

マーグラ＝アーガルがおこなう賭け試合
ナー＝最高の敬意をあらわす敬称
ヌレッチ＝レザルブラカ
オスティム＝初潮
レック＝ガマを発酵させたアーガルの酒
スルクナ＝部族の紋章や、家族の系譜を模様で織りこんだ帯
ウングヴェク＝石頭
アーグラールグラ＝アーガルが自分たちを呼ぶときの呼称「角持つ者」の意
ワラング＝受け入れること、承認

著者あとがき

クリストファー・パオリーニより

クヴェッタ・フリケイヤ（こんにちは、みなさん）

あれからずいぶん経ちましたね……。

じつは、本書はもともと出版が予定されていたものではありませんでした。さかのぼること二年とすこし前、私は「The Worm of Kulkaras／クルカラスのドラゴン」の初稿を書きました。たまたまSF大作のプロジェクトの合間に、頭を整理するために書いたのです。自分なりに気に入っていたものの、「Worm／大蛇」はそれだけで出版するには短すぎるものでした。なので、二〇一八年の夏まではパソコンのなかに眠ったままでいたのです。

当時、マータグの物語を書きたいという思いはずっと心に持ちつづけていました。その思いが「A Fork in the Road」（わかれ道）になったのです。そしてそれを

「Worm／大蛇」といっしょにクノッフ社の編集者に送りました。またその同じころ、妹のアンジェラが、登場人物アンジェラの視点から小作品を書いてみたいといってくれたのです。びっくり！です。というのも、妹の申し出を聞く前から、偶然にも年内に短編集を出そうという話を編集者と進めていたからです。（出版についてくわしくない方のために、これはかなりあわただしいスケジュールとなります）

アラゲイジアにもどる物語を長編作として書きたいという構想は、ずっと持っていました。しかし、このような形で出版できるのもまたすばらしい経験でした。インへリタンス・シリーズの登場人物たちに（新しいキャラクターをふくめ）関われたのは、私にとって特別なご褒美のようなこと。何年かぶりにエラゴンとサフィラのことを書くのは、長い旅を経て故郷にもどったかのような体験となりました。

さらに、私が五百ページより短い本も書けるということをついに証明できたのだから、これは大成功です。

短いとはいえ、どんな本もそうであるように、チーム全員の大変な努力がなければ、本書『The Fork, the Witch, and the Worm』は誕生しなかったでしょう。

いつも変わらぬ愛情で私をサポートし、編集を助けてくれるすばらしい両親へ。言葉でいいつくせないほど感謝しています。ふたりの協力がなくては、この本はできあがらなかった！

妹のアンジェラは、登場人物アンジェラを描くとき、いまもユーモアのセンスをあたえてくれます。妹がいなければ、この本の真ん中の物語は存在しなかったでしょう（「On the Nature of Stars／星の性質について」は妹が執筆しました）。それに「The Worm of Kulkaras／クルカラスのドラゴン」のアイデアが生まれたのは、失敗作といわれるある映画について妹と話をしていたときでした。妹はまた私の作品の一番最初の読者であり、この短編集のすべての章において編集を手伝ってくれました。妹のおかげでどの作品も――「わかれ道」などはとくに――うんと輝きが増したはずです。アンジェラ、僕が物書きとして成長できるように、いつも後押ししてくれてありがとう！

アシスタントのイマヌエラ・メイジャーは、インへリタンス・シリーズのwikiを作成し（やったね！）、配慮ある編集で私を助け、冒頭の地図に美しく色付けしてくれました。

著作権代理人のサイモン・リプスカーは、長年の友人というだけでなく、私の仕事の強力な理解者です。心からの感謝を！　こんどは僕がスシをおごるよ。

編集者のミッシェル・フレイは、いつもながらみごとな仕事ぶりで、この本を立派なものに仕上げてくれました。またいっしょに締切日を乗りこえられてよかった！　おかげで（Word の）変更履歴の使い方もマスターできたしね。

そしてクノップフ社の皆さん——ランダムハウス・チルドレンズ・ブックス社長バーバラ・マーカス、同編集者のジュディス・ハウト、コピーエディター代表のアーティ・ベネットに感謝を。校閲チーフのアリソン・コラニ、鋭い指摘をありがとう。編集補佐のマリサ・ディノヴィス、アートディレクターのイザベル・ワレン＝リンチとチームの皆さんには、本書をとても美しいものに仕上げてもらいました。ジョン・ジュード・パランカーは表紙のすばらしい絵を描いてくれました。いや、ほんとにお見事！　ランダムハウス・チルドレンズ・ブックスの広報宣伝部長ドミニク・シミナ、広報担当マネージャーのアイシャ・クラウド、そして広報、マーケティングチームの最高のメンバーたち、本書に協力してくれたランダムハウス社すべての皆さんに、心からの感謝を捧げます！　また、クノップフ社の前パブリッシング・ディレクター、ジェニファー・ブラウンにも感謝を。大変お世話になりました。

そしてもうひとり、「The Worm of Kulkaras ／クルカラスのドラゴン」の初期バージョンを読んで、貴重な意見を聞かせてくれた作家仲間のフラン・ワイルドにも格別の感謝を。ありがとう、フラン！　恩に着るよ。

そしてもちろん……読者の皆さんに、最大級の感謝を。皆さんの長年の応援がなければ、何ひとつとして実現できなかったでしょう。

最後にエルフの言葉でご挨拶を。

「アトラ・エステルニ・オノ・セルドゥイン——御身に幸運のあらんことを」

クリストファー・パオリーニ

2018年12月

アンジェラ・パオリーニより

この本は、クリストファーが先に謝意を述べたすばらしい方々のおかげで生まれました。ここで、とりわけ私のささやかな貢献を助けてくれた人たちに謝意を述べておきます。

まずは両親に。彼らの保護と献身と愛がなければ、いまの私はありません。とくに、母の編集上の見識には深く感謝しています。

クリストファーの飽くなき想像力にも。彼はアラゲイジアの地と様々な新しい世界を創造しました。読者はまもなくその世界を訪れることになるでしょう。今回クリストファーは、ドラゴンライダーの登場人物と遊んでみないかと妹である私を誘いました。これまでのように魔女アンジェラの会話部分だけでなく、それ以外の部分も書くという形で参加させてくれたのです。

アシスタントのイマヌエラ・メイジャーにも感謝します。パオリーニ家の生活全般をとりしきる彼女は、クリストファーが創作した世界についての比類のなき深い知識をもちあわせており、新しいエピソードを既刊の物語の細部と一貫させてくれました。

出版元であるランダムハウスの関係者にも感謝しています。勤勉かつ迅速な仕事により、着想からわずか数カ月で読者のもとに本書を届けることができました。特にミシェル・フレイに。彼女はアラゲイジア関連書の頼もしい編集者であるだけでなく、親切で素敵な人で、親愛なる友でもあります。

サイモン・リプスカーにも感謝を。出版ビジネスに関する比類なき知識で、この作品をしっかり守ってくれます。

最後に、この物語を書いているときいつも私の隣にいてくれた大好きなカルにも、ありがとう。おまえはいいやつだ。

アンジェラ パオリーニ
2018年12月

TALES FROM ALAGAËSIA VOLUME I: ERAGON

アラゲイジアの物語

I　エラゴン

2020年11月11日 第1刷発行

作者
クリストファー・パオリーニ
訳者
大《おお》嶌《しま》双《ふた》恵《え》
発行者
松岡佑子
発行所
株式会社静山社
〒102-0073 東京都千代田区九段北1-15-15
電話・営業 03-5210-7221
https://www.sayzansha.com
組版
アジュール
印刷・製本
中央精版印刷株式会社

Published by Say-zan-sha Publications, Ltd
ISBN978-4-86389-594-2 Printed in Japan